Distribution:

Pour le Canada:

Les Éditions Flammarion/Socadis
375, avenue Laurier Ouest,
Montréal (Québec) H2V 2K3
Tél.: (514) 277-8807 ou 331-3300

Pour la France:

Dilisco
122, rue Marcel Hartmann
94200 Ivry-sur-Seine
Paris (France)
Tél.: (1) 49 59 50 50

Pour la Belgique:

Vander, s. a.
321, avenue des Volontaires
B-1150 Bruxelles (Belgique)
Tél.: (32-02) 762-9804

Pour la Suisse:

Diffusion Transat s.a.
Route des Jeunes, 4ter
Case postale 1210
CH-1211 Genève 26
Tél.: (022) 342-7740

Souriez à la vie

Données de catalogage avant publication (Canada)

Ziglar, Zig

    Souriez à la vie
    (Collection Motivation et épanouissement personnel)

    Traduction de: Something to smile about.
    Comprend des références bibliographiques

    ISBN 2-89225-352-7

    1. Morale pratique – Anecdotes. 2. Succès – Anecdotes. I. Titre. II. Titre:
    Cent deux bonnes raisons de sourire à la vie. III. Collection.

BJ1581.2.Z5514 1998   158   C98-94066-0

Cet ouvrage a été publié en langue anglaise sous le titre original:
SOMETHING TO SMILE ABOUT ENCOURAGEMENT AND INSPIRA-
TION FOR LIFE'S UPS AND DOWNS
Published in Nashville, Tennessee, by Thomas Nelson, Inc., Publishers,
and distributed in Canada by Word Communications, Ltd., Richmond,
British Columbia.
Copyright © 1997 by the Zig Ziglar Corporation
All rights reserved

©, Les éditions Un monde différent, 1998
Pour l'édition en langue française

Dépôts légaux: 2e trimestre 1998
Bibliothèque nationale du Québec
Bibliothèque nationale du Canada
Bibliothèque nationale de France

Conception graphique de la couverture:
SERGE HUDON

Version française:
JEAN-PIERRE MANSEAU ET PAUL PINARD

Photocomposition et mise en pages:
COMPOSITION MONIKA, QUÉBEC

ISBN 2-89225-352-7
(Édition originale: ISBN 0-8407-9183-6, Thomas Nelson, Inc., Nashville,
Tennessee)

*Nous reconnaissons l'aide financière du gouvernement du Canada par l'entre-
mise du Programme d'Aide au Développement de l'Industrie de l'Édition pour
nos activités d'édition.*

Ziglar, Zig

Souriez à la vie

Les éditions Un monde différent ltée
3925, Grande-Allée
Saint-Hubert (Québec), Canada
J4T 2V8

Vous, _____,
trouverez dans ces messages un encouragement quotidien
dans la poursuite de vos rêves.

À Bernie Lofchick, le «frère Bern», la personne la plus positive que je connaisse et une constante source d'encouragement. Il a cru en moi bien avant que j'y croie moi-même.

Table des matières

Avant-propos

*L*e docteur Buckner Fanning fait remarquer qu'une parabole est une brève histoire lourde de sens. Il nous partage la parabole suivante, extraite de la bande dessinée *Peanuts* de Charles Schulz. Dans la première case, Snoopy est dans sa niche au beau milieu de la nuit. Il se rend ensuite jusqu'à la porte d'entrée de Charlie Brown et frappe quelques coups. Charlie Brown regarde par la fenêtre et dit: «Te sens-tu encore seul?» Dans la case suivante, Charlie Brown et Snoopy se promènent ensemble et Charlie Brown dit à Snoopy: «C'est un sentiment terrible, n'est-ce pas?» Dans la case suivante, ils sont tous deux au lit, les couvertures remontées jusqu'au cou, tandis que Charlie Brown tente manifestement de réconforter son compagnon déprimé en lui disant: «Tu te réveilles au milieu de la nuit et tout semble sans espoir. Tu es totalement seul.» Snoopy remonte alors encore plus les couvertures. Charlie Brown continue: «Tu te demandes ce qu'est la vie et pourquoi suis-je ici? Y a-t-il vraiment quelqu'un qui s'en soucie? Et tu continues à fixer l'obscurité et à te sentir seul.» Dans la dernière case, Snoopy regarde Charlie Brown dans les yeux et lui demande avec convoitise: «Avons-nous des «petites douceurs pour la nuit»?»

Nous avons tous de temps à autre besoin de «petites douceurs pour la nuit». Le but de ce livre est de vous offrir quelques-unes de ces douceurs et de vous persuader de les transmettre à d'autres. Les «petites douceurs pour la nuit» sont essentiellement des toniques ou des intermèdes agréables qui sont des «faiseurs de différence» dans la vie des gens. *Le Dictionnaire américain de la langue anglaise, Noah Webster 1828* (auquel je me reporterai à plusieurs reprises dans ce livre) définit le mot *différence* comme «l'état d'être dissemblable ou distinct; la qualité qui distingue une chose d'une autre».

C'est une «distinction logique». *Distinct* signifie «différent, dissemblable». Logiquement, nous pourrions dire que c'est un attribut essentiel. Un *faiseur* est «celui qui façonne, forme, ou développe». Par conséquent, un «faiseur de différence» est celui qui crée une différence distincte chez quelqu'un d'autre en façonnant, modelant, formant, ou en influençant.

Parfois, il peut vous arriver de «faire une différence» d'une manière inattendue, voire même inexpliquée. Plus vous lirez ces paraboles et plus vous comprendrez toute leur portée, plus il vous arrivera fréquemment de vous dire en vous-même: *«S'il le peut, je le peux aussi.»* Voilà la première étape pour devenir un «faiseur de différence».

J'aime bien l'histoire de cette classe de sociologie qui fit une étude sur 200 jeunes hommes dont la plupart provenaient de la ville de Baltimore, dans le Maryland. Ceux qui menaient l'étude parvinrent à la même conclusion pour chacun des garçons: «Il n'a aucune chance.»

Vingt-cinq ans plus tard, un autre professeur de sociologie donna suite à cette étude et réussit à retracer 180 des 200 garçons de l'étude initiale. De ce nombre, 176 étaient devenus des médecins, des avocats, des hommes d'affaires prospères, etc. Quand il leur demanda comment ils avaient réussi à échapper à cette prédiction concernant leur avenir, tous dirent pratiquement la même chose: «Il y avait cette enseignante...» Le professeur de sociologie retrouva cette enseignante et lui demanda ce qu'elle avait fait pour exercer une telle influence sur autant de garçons. Elle sourit simplement et dit: «Je n'ai fait qu'aimer ces garçons.»

Mon espoir est que vous ressentiez, au fil de ce livre, par personne interposée, cet amour vécu par bon nombre de gens, à mesure que je vous raconterai leurs histoires et que je vous relaterai ce qu'elles ont signifié pour bien des gens. Si vous mettez en pratique votre propre expérience et si vous acceptez de partager votre propre histoire avec moi, il est possible que cette dernière se retrouve un jour dans un de mes prochains livres.

Introduction

J'ai à l'esprit plusieurs objectifs bien précis quant à ce livre. Premièrement, comme le titre l'indique clairement, j'aimerais vous proposer un mot d'encouragement quotidien, ce qui constitue le «carburant» de l'espoir. Ce livre vous fournira également 102 bonnes raisons de sourire à la vie et, de temps à autre, l'occasion de rire franchement. Chaque page a été conçue afin de vous aider à combler un besoin que vous pourriez avoir à un moment donné de votre vie, sans que ce soit forcément aujourd'hui.

En effet, les entreprises pourraient utiliser certaines pages de ce livre lors de brefs «meetings» de vente, au cours de rencontres du personnel, ou lors de réunions de différents services. Pendant ces petites réunions, quelqu'un pourrait soit lire ou expliquer la matière, et des idées pourraient être échangées à savoir comment les concepts du livre s'appliquent à leur propre situation. Les conjoints et les conjointes pourraient se faire mutuellement la lecture de ce livre lors du petit-déjeuner ou du dîner, et se rapprocher ainsi davantage l'un de l'autre.

Par ailleurs, les parents pourraient utiliser ce livre comme un outil de motivation ou de bonne conduite pour leurs enfants. Les enseignants pourraient partager ces pages avec tous leurs élèves tandis que certaines entreprises auraient la possibilité d'en mettre un exemplaire à la disposition de chaque employé. Des gens de tous les milieux pourraient transmettre leurs passages préférés à des amis ou à des membres de leur famille qui ont besoin d'une parole d'encouragement. En somme, ces messages peuvent être mis à profit de bien des façons dans le but d'encourager les autres et vous-même.

Dans ce monde par trop négatif, je suis convaincu que nous avons besoin chaque jour d'un élément positif pour surmonter les aspects négatifs. Je crois que vous trouverez ici tout l'encouragement qui changera bien des choses dans votre vie.

Je vous invite non seulement à lire ce livre mais à l'analyser minutieusement page par page. Je vous suggère de garder votre stylo à portée de la main et de noter les idées et les pensées bien spéciales que renferme ce livre. Puis, quand l'occasion se présentera pour vous d'utiliser une histoire, un exemple, une illustration, ou une blague, les données que vous aurez gardées en mémoire seront aptes à vous fournir les éléments dont vous aurez besoin.

Les dernières pensées que nous avons à l'esprit avant de nous endormir nous influencent d'une manière déterminante. Par conséquent, lisez et concentrez-vous sur un des messages du livre juste avant de vous endormir le soir. Si vous avez regardé le bulletin d'informations en soirée, vous feriez bien de lire ensuite plusieurs pages de ce livre et de réfléchir attentivement à ce que vous aurez lu avant d'éteindre la lumière.

Suivez le leader si...

*L'expérience est une enseignante exigeante.
Elle vous fait d'abord subir un examen
puis elle vous sert ensuite la leçon.*

Je suis le premier à admettre que les moutons ne sont pas les créatures les plus intelligentes de la terre, mais parfois je me pose des questions concernant certains d'entre nous. Quand les bergers désirent déplacer leur troupeau d'un pâturage à l'autre, et qu'un léger obstacle entrave leur route, les bergers laissent alors un bouc précéder le troupeau pour qu'il soit le premier à sauter par-dessus l'obstacle. Les moutons le suivent avec soumission. Il est intéressant de remarquer que si vous enleviez l'obstacle, les moutons continueraient de sauter par-dessus un obstacle qui n'existe plus.

Jusqu'à un certain point, les gens se comportent ainsi. Une importante course à pied de 10 kilomètres se déroulait à Kuala Lumpur, en Malaysia. Deux heures après le début de la course, aucun coureur n'était encore en vue et les officiels commencèrent à se demander ce qui avait bien pu se produire. Ils partirent à la recherche des coureurs en automobile et les découvrirent tous à une dizaine de kilomètres plus loin, en train de courir dans la mauvaise direction. Certains avaient même parcouru plus de 16 kilomètres. A.J. Rogers, un des officiels de la course, affirma que la confusion était apparemment survenue quand le coureur à la tête du peloton avait pris le mauvais virage, au cinquième poste de contrôle, et les autres coureurs l'avaient alors suivi.

John C. Maxwell* de San Diego, en Californie, dit qu'une personne moyenne influence directement ou indirectement 10 000 autres personnes au cours de sa vie. Les gens qui occupent des postes de dirigeants en influencent encore bien plus. Voilà pourquoi le leadership comporte une responsabilité inimaginable, celle de vous assurer que vous vous dirigez dans la bonne direction, que les décisions que vous prenez sont bien fondées, et que la route que vous choisissez est la bonne. Quand vous prenez une décision, celle-ci influence directement ou indirectement un grand nombre de gens. D'excellentes décisions prises par les bonnes personnes peuvent influencer les gens de façon constructive. Prenez donc des décisions judicieuses.

Vous ne dépasserez jamais les autres tant et aussi longtemps que vous essaierez seulement d'être à égalité avec eux.

L'ambition est-elle bonne ou mauvaise?

> *Le problème n'est pas le manque de temps mais le manque de buts. Nous disposons tous de 24 heures par jour.*

Je suis convaincu que l'ambition, alimentée par la compassion, la sagesse et l'intégrité, est une force puissante au service du bien. Elle fera tourner les rouages de l'industrie et ouvrira la porte sur des perspectives d'avenir pour vous-même et pour plusieurs milliers d'autres personnes. Mais si l'ambition est nourrie par l'avidité et la soif du pouvoir, elle devient une force destructrice qui crée en fin de compte des

---

* Cet auteur a publié aux éditions Un monde différent quatre ouvrages axés sur le leadership, l'attitude et l'influence.

dommages irréparables pour quiconque est en son pouvoir et pour les gens à sa portée.

Cela dépasse amplement le simple cliché d'affirmer que l'ambition peut soit nous construire, soit nous détruire. Elle nous construit quand nous entendons les mots de Henry Van Dyke: «Il existe une ambition plus noble que celle de simplement viser haut dans ce monde: elle consiste à se pencher afin d'élever le genre humain un peu plus haut chaque jour.» George Matthew Adams fit cette remarque: «La personne qui aide quelqu'un d'autre à grimper est celle qui atteint les plus hauts sommets.» John Lubbock le dit dans les termes suivants: «Le fait d'accomplir un geste, même s'il est modeste, afin de rendre les autres meilleurs et plus heureux, constitue la plus noble ambition, l'espoir le plus sublime que peut caresser l'être humain.»

Quand j'étais adolescent à Yazoo City, dans le Mississippi, j'ai souvent entendu ma mère et l'homme pour qui je travaillais, dans une épicerie, décrire quelqu'un en disant: «C'est vraiment un jeune homme très ambitieux», ou bien «elle a assurément beaucoup d'ambition.» Leurs timbres de voix indiquaient qu'ils voyaient d'un œil très favorable l'un des traits de caractère de ce jeune homme ou de cette jeune fille. Je comprenais implicitement qu'ils parlaient de ce genre d'ambition alimentée par la compassion, la sagesse et l'intégrité. D'un autre côté, je les ai entendus dire à plusieurs reprises: «C'est une gentille personne mais elle n'a aucune ambition.»

Selon moi, les gens dotés d'aptitudes – j'inclus ici tous les lecteurs de ce livre – et qui ne les utilisent pas incarnent une des véritables tragédies de la vie. Le vieil adage selon lequel vous utilisez votre talent ou vous le perdez est véridique. En un mot, l'ambition, nourrie par la compassion et de bonnes directives, peut devenir une puissante force au service du bien.

«Il faisait si froid où nous étions», dit un homme avec vantardise,
«que la chandelle a gelé et que nous ne pouvions plus l'éteindre.»
«Ce n'est rien!» dit un autre. «Là où nous étions, les mots sortaient
de notre bouche en petits blocs de glaces,
et nous devions les faire frire pour savoir ce qu'on disait.»
(Magazine Courrier Journal)

La fille d'un métayer
devient présidente d'un collège

Nous sommes tous influencés par ce que les autres attendent de nous. Ou bien nous nous montrons à la hauteur de leurs espérances, ou bien nous les décevons dans ce qu'ils nous croient capables de faire. À vrai dire, ce que les autres pensent de nous a souvent plus de poids et d'importance que ce que nous pensons de nous-mêmes.

Ma mère avait l'habitude de dire: «L'arbre devrait pousser là où la baguette de coudrier plie.» Je crois que Ruth Simmons, la nouvelle présidente du très prestigieux collège Smith, dans le Massachusetts, est l'exemple classique de la vérité contenue dans cette assertion. Elle est également le modèle même du rêve américain et la preuve vivante qu'il se porte bien et est encore vivant en Amérique.

Alors qu'elle était encore une enfant, madame Simmons avait dit à une de ses camarades de classe qu'un jour elle serait présidente d'un collège. C'était là une affirmation tout à fait remarquable venant du douzième enfant d'un métayer du Texas. Elle était loin de se douter qu'elle obtiendrait la présidence de l'une des institutions les plus respectées au pays. Elle est la première femme afro-américaine à diriger un collège ou une université de premier plan. Étant donné que les femmes présidentes – plus particulièrement les Afro-américaines présidentes de collèges – se font rarissimes, examinons ensemble ce qui s'est produit.

La plupart des histoires de réussite commencent avec les parents, et, dans ce cas-ci, l'influence de la mère est incontournable. Elle insista sur l'importance d'avoir du caractère, du sens moral et de faire grand cas de «certaines choses en ce qui concerne le traitement réservé aux êtres humains». Madame Simmons dit alors: «Dans tout ce que j'ai accompli, j'ai travaillé dur, mais je n'ai pas déployé tout ce labeur pour obtenir à tout prix de bonnes notes, par soif de louanges, ou pour m'enrichir; je l'ai fait parce qu'on me l'avait enseigné.» Ross Campbell, M.D., dit que 80% du caractère d'un enfant est déjà formé vers l'âge de 5 ans, et apparemment, le caractère de madame Simmons en témoigne éloquemment.

Le comité de sélection du collège Smith attira l'attention sur le fait que madame Simmons n'avait pas été choisie parce qu'elle est une femme afro-américaine. Peter Rose, un des membres du comité de recherche, déclara: «Nous avons voulu lancer le filet le plus loin possible pour obtenir le meilleur candidat. L'énergie de cette femme, la force de sa personnalité, et ses excellents antécédents dans le domaine scolaire lui valurent d'être choisie.»

Laissez-moi vous faire remarquer que si vous élevez votre enfant en lui inculquant de solides valeurs morales comme la famille Simmons l'a fait, il se peut que vous fassiez actuellement l'éducation d'une future présidente de collège.

«Ma mère se plaignait de vertiges; mon père la conduisit donc chez le médecin pour un bilan de santé. L'examen fut de courte durée; elle alla ensuite faire des courses et dit à papa: «Je me sens beaucoup mieux depuis que j'ai acheté un nouveau chapeau.» «Tant mieux», répliqua mon père. «Tu n'as plus de vertiges et tu es bien mise.» (Sélection du Reader's Digest par Betty Booher Jones)

La puissance du mot

> *« Un comité est un groupe de personnes qui ne peuvent rien faire individuellement, mais qui se réunissent collectivement, et qui décident que rien ne peut être fait. »*
> Alfred Smith, membre d'un conseil d'administration

Il nous arrive souvent de devenir tellement pragmatiques que nous ne parvenons pas à être efficaces. Il y a plusieurs années, l'éditeur du *Dallas Morning News* fit remarquer aux chroniqueurs sportifs que le prénom «Bill» n'était pas un bon terme de remplacement pour le prénom «William», et que «Charlie» n'en était pas un non plus pour le prénom «Charles».

À l'apogée de la gloire de Doak Walker de l'université Southern Methodist, l'un des chroniqueurs, prenant l'éditeur au pied de la lettre, écrivit un article à propos d'un match important. Dans son récit, il fit remarquer qu'au cours du troisième quart Doak Walker abandonna le match en raison d'un «Charles horse*». Je crois que vous conviendrez que le récit perdit un peu de sa signification à cause de l'utilisation du prénom «Charles».

Ce qui constitue peut-être l'ultime absurdité se concrétisa un jour dans un article d'une publication nationale quand le chroniqueur programma un ordinateur afin d'analyser le discours d'Abraham Lincoln à Gettysburg. Soit dit en passant, ce discours contient 362 mots dont 302 n'ont qu'une seule syllabe. C'est un style simple et direct, mais puissant et efficace.

---

*   Charles horse: crampes dans les muscles des bras et des jambes. Charlie et Charley se prononcent de la même manière. (Note des traducteurs).

Toutefois, l'ordinateur fit certaines recommandations sur la façon que le discours aurait dû être écrit. Par exemple, au lieu de dire: «Huit décennies et les 7 années qui suivirent», l'ordinateur considéra cette approche trop verbeuse et suggéra, «quatre-vingt-sept ans.» L'efficacité dans la réduction du nombre de mots est évidente, mais la perte de puissance, de passion, d'une intensité dramatique est encore plus manifeste.

Quand Abraham Lincoln dit: «Nous nous sommes engagés dans une grande guerre civile», l'ordinateur conteste l'utilisation du mot *grande*. Et ce, même si notre nation déplora 646 392 victimes, incluant 364 511 morts. L'ordinateur affirma que les phrases étaient trop longues et il critiqua l'assertion, selon laquelle «nous ne pourrions jamais oublier ce qui s'est produit à Gettysburg», comme étant un élément négatif du discours.

Bien entendu, vous conviendrez avec moi que l'éloquence et l'intensité dramatique, alliées à la passion, la logique et le bon sens, sont bien plus efficaces pour inspirer les gens à accomplir de grandes choses qu'une exactitude d'ordre technique.

Réfléchissez à ce qui précède. Connaissant leur pouvoir, employez les mots avec sagesse. Votre contribution au genre humain sera d'autant plus grande.

Voici une note envoyée à la station météorologique au beau milieu de l'hiver: «*Je viens tout juste de pelleter 60 centimètres de "partiellement nuageux" dans mon entrée.*

L'apparence joue un rôle important

Les gens modestes n'ont pas moins d'estime de soi;
ils pensent tout simplement moins à eux-mêmes.

Selon une étude récente, notre apparence a un rapport direct avec notre chèque de paie. Des chercheurs ont analysé les statistiques d'emplois d'un groupe de 7 000 adultes. Ils divisèrent ce groupe selon le critère de l'apparence, puis, ils comparèrent les salaires de ceux occupant des emplois similaires dans chaque catégorie. Ceux qui avaient une apparence en dessous de la moyenne gagnaient moins que ceux qui se classaient dans la moyenne. Ces derniers, à leur tour, gagnaient moins que ceux classés au-dessus de la moyenne.

L'apparence touche à plusieurs aspects. Le style et la propreté de votre habillement, l'éclat de vos chaussures, le pli impeccable de votre pantalon, votre choix de couleurs, et une foule d'autres choses influencent également l'évaluation de votre apparence. Votre façon de vous coiffer, votre maquillage, et tous les éléments de vos soins personnels de beauté concourrent à l'ensemble de l'apparence. Cependant, le facteur le plus important est ce sourire qui illumine votre visage, suivi de près par l'attitude que vous adoptez et par votre sens de l'humour. Un excellent sens de l'humour et une attitude positive sont particulièrement importants à mesure que vous gravissez les échelons supérieurs des affaires.

La réalité est que les gens favorisent certaines personnes. L'expérience prouve que nous allons préférer, entre deux candidats comparables, celui qui nous plaît le plus au détriment de l'autre pour lequel nous éprouvons peut-être un sentiment mitigé voire même négatif, et cela, avant même de tenir compte de leurs compétences respectives. La question est la suivante: qui donc nous plaît? Vous conviendrez avec moi que les gens plaisants, enjoués, et optimistes sont plus faciles à aimer que les gens enclins à être austères et même négatifs dans leur manière d'aborder les choses.

Il est également vrai que la personne optimiste et pleine d'entrain accomplira davantage de choses, et obtiendra plus de coopération de la part de ses collègues de travail qu'un être négatif. Il est d'usage courant pour les employeurs de rechercher des candidats qui correspondent parfaitement aux critères de l'entreprise, qui accomplissent davantage de travail, et qui sont agréables à côtoyer.

Laissez votre plus belle apparence s'endimancher d'un sourire, d'une magnifique attitude et d'un sens de l'humour spontané. Faites-en l'essai, et je parie que vous joindrez vous aussi les rangs de ceux qui se classent au-dessus de la moyenne en ce qui a trait au salaire et à la réussite dans la vie. Prenez donc ce conseil à cœur.

« Un optimiste pense que le verre est à moitié plein ; un pessimiste pense que le verre est à moitié vide. Un réaliste sait que s'il reste dans les parages, d'une façon ou d'une autre, il devra tôt ou tard laver ce verre. »
(Los Angeles Times publié dans Executive Speechwriter Newsletter)

Pourquoi s'inquiéter?

La vie ressemble beaucoup à la fête de Noël. Vous êtes plus susceptible alors d'obtenir ce à quoi vous vous attendez que ce que vous voulez vraiment.

*O*n a défini l'inquiétude ainsi: «Un intérêt payé sur des problèmes avant même qu'il vienne à échéance.» L'inquiétude est une des pires ennemies de l'Amérique. Elle est comme un fauteuil à bascule; elle requiert beaucoup d'énergie et elle ne nous mène nulle part. Leo Buscaglia disait: «L'inquiétude ne dérobe jamais à demain son chagrin; elle ne fait que miner aujourd'hui de sa joie.»

Question: Êtes-vous un être inquiet? Les Américains absorbent plus de pilules que n'importe quelle autre nation de l'histoire pour oublier encore davantage leurs inquiétudes à propos de plus de choses que jamais auparavant. C'est désolant. Selon le docteur Charles Mayo: «L'inquiétude affecte la circulation sanguine et tout le système nerveux. Je n'ai jamais connu un homme qui soit mort d'avoir trop travaillé, mais j'en ai rencontré plusieurs qui sont décédés à cause du doute.» Le doute crée toujours de l'inquiétude, et dans la plupart des cas, le manque d'information fait grandir le doute.

Mathématiquement parlant, cela n'a vraiment pas de sens de s'inquiéter. Les psychologues et autres chercheurs affirment qu'environ 40% des raisons pour lesquelles nous nous inquiétons ne se produiront jamais, et que 30% sont déjà survenues. De plus, 12% de nos inquiétudes portent sur des problèmes de santé dénués de tout fondement. Un autre 10% de nos soucis relèvent de nos diverses agitations quotidiennes qui, au bout du compte, ne servent à rien. Il ne reste donc que 8 pour cent d'inquiétudes fondées. En termes clairs, les Américains s'inquiètent 92 pour cent du temps sans une seule bonne raison, et si le docteur Mayo est dans le vrai, cela nous tue à petit feu.

Voici une solution afin de réduire le nombre de vos inquiétudes: ne vous inquiétez pas à propos de ce que vous ne pouvez pas changer. Par exemple: Pendant de nombreuses années j'ai parcouru en avion plus de 320 000 kilomètres par année. Il arrive, à l'occasion, que les vols soient annulés ou retardés. Au moment où j'écris ces lignes, je suis assis près de la piste d'atterrissage à attendre que l'avion reçoive l'autorisation de décoller. Si je m'inquiète ou si je me fâche, cela ne changera absolument rien. Si j'entreprends l'action constructive de poursuivre la rédaction de ce livre, je domine alors la situation. C'est là une façon positive d'utiliser cette énergie que j'aurais autrement gaspillée inutilement en colère, en frustration et en inquiétude.

Le message est clair: Si vous n'aimez pas votre condition dans la vie, ne vous faites pas de mauvais sang et ne vous inquiétez pas, faites quelque chose pour y remédier. Inquiétez-vous moins et agissez davantage.

À ces gens qui veulent devenir riches et célèbres,
je dirais ce qui suit: «Devenez d'abord riches, et voyez
si cela n'est pas déjà amplement suffisant.»
(Bill Murray)

Attachez vos lacets de chaussures

Certaines personnes cherchent toujours le détail
qui pose problème comme si elles pouvaient
en tirer une récompense.
D'autres voient le bon côté en chaque difficulté.

Roger Crawford avait 16 ans quand il réussit finalement à attacher ses chaussures, mais même alors, ce fut grâce au Velcro qu'il y parvint. Il excella dans d'autres domaines comme le sport par exemple, où il devint un joueur vedette au tennis. Alors qu'il faisait ses études secondaires, il était déjà un joueur de championnat remportant 95 pour cent de ses matches. Il continua sur la même lancée au collège et passa ensuite dans les rangs du tennis professionnel.

En regardant Roger, on constate qu'il est infirme. Cependant, il explique que les infirmités de la plupart des gens ne se voient pas à l'œil nu, mais elles sont tout aussi réelles et, dans bien des cas, plus prononcées que la sienne.

Roger est né avec une jambe manquante, du genou en descendant. Ses mains n'ont pas de doigts; en réalité, il n'a que deux extensions là où se trouvent normalement les doigts, et pourtant, il emploie ces deux extensions avec beaucoup de brio et de succès. Roger ne se plaint pas de ce qu'il n'a pas, mais il utilise pleinement ce qu'il a. Cette attitude lui a permis de devenir le premier athlète, affligé de graves infirmités, à participer aux compétitions dans un sport collégial de la division du NCAA.

Roger ne prétend pas que ce fut facile, mais au bout du compte, la vie est rarement facile pour la plupart d'entre nous. Il est aujourd'hui un des conférenciers les plus efficaces dans notre pays, un auteur couronné de succès, et un homme très attaché à sa famille. Il prend la parole devant des entreprises à peu près partout dans le monde, lesquelles appartiennent à Fortune 500, à l'industrie et aux associations éducatives. Je vous suggère à tous d'adopter de plus en plus l'attitude de Roger Crawford.

Les politiciens adorent se vanter en affirmant qu'ils renforcent l'économie. Ils ne font manifestement pas la différence entre leurs lubies et la réalité.

Les leaders acceptent d'être responsables

La véritable récompense pour une chose bien faite, c'est de l'avoir accomplie.

Hakeem Olajuwon est le centre vedette des Rockets de Houston, les champions mondiaux de l'Association nationale de basket-ball en 1994 et en 1995. Un an avant que les Rockets remportent leur premier championnat contre les

Knicks de New York, Hakeem prit conscience que d'être le leader de l'équipe l'amenait à assumer des responsabilités plus importantes que celles des autres joueurs. Il reconnut que son jeu comportait une faiblesse majeure, le lancer au panier d'une distance de 5 mètres. Pensez-y bien. Il gagnait un revenu de plusieurs millions de dollars et avait fait partie de l'équipe d'étoiles pendant 6 ans consécutifs. Cependant, il sentait que l'équipe ne gagnerait jamais un championnat s'il n'améliorait pas son tir au panier à partir de 5 mètres.

Avant la saison 1993-94, il se rendait au gymnase et s'entraînait à lancer 500 fois vers le panier, à partir du 5 mètres, tous les jours. C'est là une extraordinaire méthode pour accroître sa force, son endurance et améliorer sa performance. En 1994, quand les Rockets de Houston ont défait les Knicks de New York en 7 matches, il n'y eut qu'un seul match où la différence de score fut supérieure de 5 points. Quand on repassa les séquences au ralenti, elles révélèrent que si Hakeem n'avait pas amélioré le pourcentage de ses bons lancers à partir de la ligne du 5 mètres, les Knicks de New York auraient gagné à la place des Rockets de Houston.

Voici quelques questions auxquelles vous pourriez réfléchir: premièrement, croyez-vous que la popularité de Hakeem auprès de ses coéquipiers soit le résultat de l'effort supplémentaire qu'il a déployé afin d'aider Houston à décrocher le championnat? Deuxièmement, Hakeem, selon vous, était-il ravi de remporter ce championnat mondial? Et troisièmement, comprenez-vous pourquoi il obtint une augmentation substantielle de salaire quand son contrat fut renouvelé?

C'est vrai, vous pouvez obtenir tout ce que vous voulez dans la vie si seulement vous aidez suffisamment de gens à obtenir ce qu'ils veulent. Hakeem a aidé ses coéquipiers, les propriétaires de l'équipe et les partisans à gagner le championnat. Il remporta ce triomphe car lui aussi faisait partie de cette équipe de championnat et, qui plus est, il fut désigné le joueur le plus utile grâce à ses formidables efforts.

Si vous usez le fond de vos pantalons avant d'user vos semelles de chaussures, c'est que vous établissez trop de contacts au mauvais endroit.

La prévention est le meilleur «remède» pour éviter la dépendance

> **«Si des gens sont irresponsables dans leur vie personnelle, il y a de fortes chances qu'ils n'assument pas non plus leurs responsabilités au travail.»**
> Stephen F. Arterburn

William Bennett, l'ancien tsar de la drogue, dit que nous pouvons utiliser certains moyens pour éviter que nos jeunes fassent un jour l'expérience de la drogue. Selon lui, les enfants qui ont d'excellentes relations avec leurs parents, qui vont à l'église régulièrement, et participent à des activités parascolaires (sports, orchestres, équipes de débats contradictoires, où les gens peuvent s'exercer à prendre la parole sur certains sujets de discussion, etc.) font rarement l'expérience de drogues. Monsieur Bennett nous encourage à occuper activement nos jeunes et à leur rappeler qu'ils sont des êtres moraux et spirituels. Il nous dit de leur faire savoir d'une manière expresse que l'abus de drogues mène à une dégradation du caractère et de l'esprit, ce qui n'est pas du tout digne d'eux.

Le docteur Forest Tennant, une autorité en matière de drogues, ajoute quelques remarques significatives. Il affirme qu'une vie bien ordonnée s'avère des plus salutaires pour n'importe qui. Il recommande d'établir un programme et des structures centrés sur des activités positives.

Le fait de prendre ses repas en famille, de se coucher et se lever à des heures régulières, et de garder en réserve une période bien déterminée pour étudier est très utile pour des jeunes gens. Il fait également remarquer que vous pouvez enseigner aux jeunes ce que vous savez, mais ce faisant, vous reproduirez ce que vous êtes. Si vous faites usage de drogues, les risques sont plus grands que vos enfants consomment aussi des drogues et en deviennent peut-être dépendants.

Le docteur Tennant affirme explicitement que si vos enfants vous voient boire de la bière ou des cocktails, en ce qui les concerne, vous absorbez ces boissons pour restructurer votre façon de penser. Ils envisageront ce geste comme un geste souhaitable, et le concept de l'usage de la drogue devient acceptable à leurs yeux.

Le docteur Tennant signale que le tabac et l'alcool sont immanquablement les grilles d'entrée des drogues illégales. Ce fait est confirmé dans un des numéros du magazine *U.S. News & World Report*, lequel affirme que, dans la grande majorité des cas, le cycle de la personne qui en arrive à consommer des drogues illégales a débuté par la consommation d'alcool ou de tabac.

Les suggestions de William Bennett, associées aux pensées du docteur Tennant, constituent de merveilleuses directives dont chaque parent devrait tenir compte.

Les familles, les entreprises et les gens du voisinage devraient être solidaires. N'oubliez jamais que la banane n'est pelée que lorsqu'elle ne fait plus partie de son régime de bananes.

Le jeune homme aux multiples rebondissements

Votre passé est important, mais il ne l'est pas suffisamment pour contrôler votre avenir.

*S*on cœur arrêta de battre à trois reprises en route vers l'hôpital, après une collision frontale causée par une auto qui s'engagea abruptement sur la voie où se trouvait sa motocyclette. Je vous parle ici d'un remarquable jeune homme du nom de Billy Wright, mais je devance un peu trop cette histoire.

Alors qu'il fréquentait le collège, Billy persuada son père de lui prêter 125 000 $ pour acheter une concession de motocyclettes. Après avoir signé une entente avec son père, Billy réalisa qu'il n'avait aucune expérience de la vente en tête-à-tête avec un client. Il se rendit chez des libraires, acheta de nombreux livres sur la vente et la motivation, et les étudia. Il décida que la meilleure façon de monter une affaire était de bâtir ce genre d'entreprise où les clients reviennent.

Il s'engagea donc pleinement dans des relations de ventes et assura un suivi continuel auprès de ses clients. Après un an, il avait un chiffre d'affaires de 250 000 $, et après 8 ans, ce chiffre était passé à 1,5 million de dollars par année. Environ 80 % de ses ventes avaient été conclues avec les mêmes clients qui, après un certain temps, étaient revenus. Les affaires allaient bien, puis, l'accident survint.

Billy fut inconscient pendant quatre mois et demi. Ses blessures étaient si graves que ses médecins déclarèrent: «S'il avait été un fumeur et s'il n'avait pas été en aussi bonne condition physique, il n'aurait pas survécu.»

Pendant les quatre mois et demi de coma, il perdit trente kilos. Au cours de la première année qui suivit son coma, il

34

entreprit ce qu'il appelle l'année éducative la plus importante de sa vie. Son épouse lui apporta des livres et des cassettes et, durant les douze mois qui suivirent, Billy affirme qu'il apprit davantage de choses qu'il n'en avait découvertes pendant les 27 années précédentes de sa vie. Ce fut là un point tournant qui le prépara pour ce qui allait suivre.

Le trauma et les frais occasionnés par l'accident s'avérèrent beaucoup trop élevés, et Billy perdit presque tout, incluant son épouse, son argent et son entreprise. Mais il conserva tout de même une attitude positive et la volonté de gagner. Aujourd'hui, il s'affaire à bâtir une carrière prospère dans le domaine de l'automobile.

Comme c'est vrai: la personne qui refuse de se laisser abattre ne peut pas être vaincue. Adoptez cette idée et conservez la bonne attitude.

Un mari dit à sa femme: «Au cours de nos 16 ans de mariage, nous n'avons pas été capables de nous entendre, ne serait-ce que sur un seul point.» Son épouse répliqua: «Cela fait 17 ans.»
(Executive Speechwriter Newsletter)

Le pouvoir de l'attitude

> *Ne terminez jamais une réunion avant que le «qui» et le «quand», se rapportant à chaque problème, n'aient été assignés à une personne précise avec une solution appropriée. Une décision prise lors d'une assemblée sans établir de date limite devient un échange de points de vue dénué de sens.*

Mon ami et associé John C. Maxwell dit: «Ne sous-estimez jamais le pouvoir de votre attitude. Elle est l'"organisatrice" de notre moi authentique. Ses racines proviennent de l'intérieur, mais ses fruits sont orientés vers l'extérieur. Elle est notre meilleure amie ou notre pire ennemie. Elle est plus honnête et plus cohérente que nos mots.

«C'est un regard vers l'extérieur fondé sur des expériences passées. C'est elle qui attire les gens à nous ou les repousse. Elle n'est jamais satisfaite tant et aussi longtemps qu'elle ne s'est pas exprimée. Elle est la bibliothécaire de notre passé, la conférencière de notre présent et la prophétesse de notre avenir.»

Plusieurs personnes ont affirmé que les attitudes sont plus importantes que les faits, et des recherches établissent que nous obtenons des emplois et de l'avancement grâce à nos attitudes dans 85% des cas. Malheureusement, pour beaucoup trop de jeunes aujourd'hui, quand quelqu'un parle d'attitude, cela devient immanquablement pour eux une allusion à une mauvaise attitude.

L'attitude est la clé de l'éducation. Elle est la clé pour bien s'entendre avec les autres et aller de l'avant dans la vie. L'étudiant qui adopte une bonne attitude est on ne peut plus disposé à étudier pour atteindre son objectif de réussite. Un travailleur avec la bonne attitude apprend à mieux accomplir son travail et à le faire avec entrain. Le mari et l'épouse ayant opté pour la bonne attitude feront face à des situations difficiles d'une façon beaucoup plus efficace, et amélioreront substantiellement leur relation. Le médecin ayant choisi la bonne attitude aura beaucoup plus de facilité à administrer ses soins à des patients.

À talent égal, ou s'il subsiste un quelconque doute, l'entraîneur choisira toujours l'athlète qui a la meilleure attitude. L'employeur ou l'homme et la femme cherchant une conjointe, un conjoint, feront de même. Si vous avez bien compris le message: Développez une attitude gagnante.

«*Quand on lui demanda de nettoyer sa chambre, l'adolescent répondit en simulant le désarroi: "Quoi? Vous voulez que je crée un déséquilibre dans l'écologie naturelle de mon environnement?"*»
(Dorothea Kent)

Les leaders sont des gestionnaires

«*Trouvez des idées et nourrissez-les royalement, car l'une d'entre elles est peut-être une idée reine.*»
Martin Van Doren

Nous entendons beaucoup de discussions, nous lisons un tas d'articles, et nous consultons un nombre étonnant de livres sur le leadership et la gestion. Ce sont des fonctions différentes mais les leaders ont besoin d'acquérir beaucoup de connaissances en ce qui a trait à la gestion, et les gestionnaires doivent en savoir tout autant sur le leadership.

Plus de 98% de toutes les entreprises américaines comptent moins de 100 employés. La grande majorité de ces entreprises en emploient moins de 50. Cela signifie que les rôles de leader et de gestionnaire sont souvent assumés par une seule et même personne. Par conséquent, il est impérieux que chacun se familiarise avec le leadership et la gestion. Cela est également vrai dans une famille.

Dans le monde des affaires, le gestionnaire est à la fois dans les tranchées et sur le front à se salir les mains. Il assume les responsabilités quotidiennes de négocier avec ses gens d'une manière efficace. Il s'assure que ce qui doit être fait le soit d'une façon efficace et dans les délais. D'un autre côté, un leader encourage le gestionnaire, tandis que le gestionnaire met en application le programme du leader.

Le leader possède une aura qui va de pair fréquemment avec le fait d'être à la tête d'une organisation. Le gestionnaire expose ses doléances dans ses échanges quotidiens avec ses gens et fait appel à la discipline si nécessaire.

Voilà une des raisons pour lesquelles le leader doit soutenir régulièrement le gestionnaire dans son rôle, afin que l'équipe entière saisisse pleinement le message. Le leader doit également comprendre que le gestionnaire traitera ses gens comme il aura lui-même été traité par le leader. Et que ces derniers traiteront leurs clients de la façon que le gestionnaire les aura traités.

Dans une situation idéale, le leader rend le gestionnaire plus efficace, et vice versa. Le leader accorde au gestionnaire des responsabilités de même que de l'autorité, du soutien, et de l'encouragement. On peut dire sans se tromper que les leaders deviennent alors l'étincelle d'encouragement qui allume le flambeau de l'espoir de quelqu'un d'autre qui, à son tour, le passe à quelqu'un d'autre. Si vous aspirez à un poste de leadership, mettez cette idée en pratique.

«Mon fils adolescent a finalement fait la paix avec lui-même, mais il continue de se battre avec le reste du monde.»
(Vie de famille)

En tout temps, il est préférable d'agir plutôt que de parler

> *«Si vous croyez que certaines journées ne sont pas profitables, essayez donc d'en sauter une.»*
> Cavett Robert

Il y a de fortes chances que vous ayez déjà lu l'histoire qui suit et que vous y ayez probablement mûrement réfléchi.

38

C'est une histoire intéressante, fascinante, incroyable et inspirante. À l'époque, vous vous disiez peut-être: *Je devrais probablement tâcher de faire plus de choses dans ma propre vie.*

Je décris ici l'aventure de Dick Rutan et Jeana Yeager qui, en 1986, volèrent sans escale autour du monde, sur une distance d'environ 40 000 kilomètres, dans un avion conçu de façon spéciale car il était muni d'un moteur exceptionnellement petit et d'ailes extrêmement longues.

Il va de soi que ce voyage nécessita, au moment de le planifier, des mois de préparation et beaucoup d'heures remplies d'une épuisante anxiété. Ils connurent également des moments extrêmement angoissants quand une pompe électrique, conçue pour tirer le carburant du réservoir, fit défaut. En cours de vol, des turbulences imprévues projetèrent Jeana sur l'habitacle lui causant des blessures mineures, mais ils réussirent le périple et arrivèrent même en avance sur leurs prévisions.

Environ 50 000 personnes se rassemblèrent à la base aérienne de l'Aviation Edwards pour les accueillir chez eux, dans leur pays. Pendant une brève période, ils furent des célébrités dans l'esprit et le cœur de millions de gens, mais c'était hier. La vie est ainsi faite. Soit dit en passant, la société Mobil Oil avait approvisionné l'avion en carburant synthétique pour ce que l'entreprise décrivit comme «l'épreuve la plus difficile dans l'histoire».

La société Mobil acheta alors une réclame d'une page entière dans le *USA Today* afin de féliciter les deux pilotes pour leur vol battant tous les records. La réclame se terminait par ces mots: «Nous croyions que cet exploit pouvait être accompli, mais vous deux, Dick et Jeana, l'avez prouvé et il est toujours préférable d'agir plutôt que de parler.»

On n'a jamais aussi bien dit. Voici encore d'autres mots véridiques. Bien que Dick et Jeana soient disparus des feux de l'actualité et que les millions de personnes qui applaudirent leur haut fait ne pensent même plus à eux, le point fondamental est le suivant: Pour le reste de leurs vies, ils se souviendront d'avoir accompli l'impossible. Ces souvenirs leur donneront l'espoir et l'encouragement d'en faire même davantage encore. Le message est clair: Prenez quelques risques calculés dans votre vie et faites de votre mieux.

---

*N'importe qui peut faire preuve de ténacité
s'il s'accroche suffisamment longtemps.*

Il a 85 ans mais qui donc en tient le compte?

**C'est votre attitude, et non pas votre aptitude,
qui détermine votre altitude.**

*B*ob Curtis est un homme pétulant de 85 ans qui s'est marié à l'âge de 80 ans. Cela est remarquable en soi, mais plus récemment, il entreprit un voyage en mission au Kenya, où la vive allure qu'il conserva aurait exténué bien des gens ayant la moitié de son âge. Pendant la croisade de Bob d'une durée de six semaines, il passa huit jours à faire de la randonnée pédestre dans les sentiers d'un village à l'extérieur de Nairobi, la capitale du Kenya, car il n'y avait pas d'automobiles ou de rues.

À ce jour, Bob continue de travailler à plein temps dans les trois emplois qu'il occupe afin de financer son voyage au Kenya. Chaque semaine, il consacre trois journées consécutives de dix heures par jour à son rôle de chauffeur pour une vente aux enchères de voitures; ses samedis sont réservés à un établissement de pompes funèbres de Dallas; et il est également le représentant régional des ventes d'une entreprise de produits dentaires.

Grâce à sa formidable attitude, Bob sourit et dit: «Si j'en suis capable, je le ferai quoi qu'il en coûte», et cela semble être le principe directeur de toute sa vie.

Bob sait très bien que ce n'est qu'une question de temps avant que sa vie ne prenne fin. Par conséquent, alors qu'il se trouvait à Nairobi, il forma une des personnes de l'endroit afin d'assurer la continuation de son travail. Depuis 1990, Bob s'est rendu dans chaque continent et dans 21 pays.

Pour le moment, il est en train de planifier des voyages en Suède et en France. Bob attribue à Dieu sa bonne santé et sa capacité de beaucoup voyager. Sa foi est telle qu'il affirme n'avoir jamais fait l'expérience d'un moment d'anxiété outre-mer, car il croit que si Dieu lui lance un défi, Dieu saura alors lui donner la possibilité de le relever.

Avec la foi et une telle attitude, qui sait si j'écrirai peut-être dans 10 ans un autre chapitre au sujet de Bob Curtis et de ses voyages à travers le monde. L'histoire de Bob Curtis est certainement un exemple inspirant pour nous tous. C'est un homme d'action. Suivez l'exemple et l'attitude de Bob.

«Le fait de dire que nous sommes dans une période de lente remontée plutôt qu'en récession, c'est comme d'affirmer que nous n'avons pas de chômeurs mais beaucoup de gens qui sont vraiment en retard au travail.»
(Le comédien Jay Leno, Executive Speechwriter Newsletter)

Avoir la chance ou être obligé?

«Le but de notre recherche nous dicte en grande partie là où nous devons regarder.»
Phil Calloway

Chaque matin pendant plusieurs années, à 10 heures précises, une femme d'affaires bien en vue visitait sa mère dans une maison de retraite. Elle était proche de sa mère et l'aimait beaucoup. On lui demandait souvent des rendez-vous pour cette même heure de la journée. Sa réponse était toujours la même: «Non, je dois rendre visite à ma mère.»

Puis un jour, sa mère mourut. Quelque temps après, un homme voulut obtenir un rendez-vous avec elle à 10 h du matin. Elle prit soudain conscience qu'elle ne pouvait plus rendre visite à sa mère. Elle eut alors la pensée suivante: *«Oh, je souhaiterais pouvoir visiter ma mère juste une fois encore.»* À partir de cet instant, elle transforma ses «je suis obligée» en «j'ai la chance»

Son histoire nous fait nous rendre compte que les choses agréables sont des «j'ai la chance». Je me prépare à jouer au golf aujourd'hui, ou je me prépare à partir en vacances cette semaine. Les choses pénibles sont des «je suis obligé». Je suis obligé de me rendre au travail à 7 h demain matin, ou je suis obligé de nettoyer la maison.

Étant donné que les perceptions influencent la pensée et la performance, faites l'essai suivant. Au lieu de dire: «Je suis obligé d'aller au travail», pensez à ces gens qui n'ont pas d'emploi. Vous pouvez alors d'une façon enthousiaste transformer cette phrase en: «J'ai la chance de travailler demain».

Si quelqu'un vous invite à aller à la pêche, au lieu de dire: «Non, je suis obligé d'assister au match de mon enfant samedi», réfléchissez au fait qu'un jour votre enfant grandira et que ce ne sera plus le temps d'assister à un de ces matchs. Il vous est alors facile de commencer votre phrase par «j'ai la chance».

Il est renversant de constater l'effet que ce changement de formulation de mots aura à la longue sur votre attitude. Vous vous surprendrez à attendre avec impatience de faire ces choses plutôt que de ressentir que vous *devez* les faire.

Avec cette différence dans votre attitude, il y aura également une différence dans la performance. Avec une différence dans la performance, il y aura une différence dans les récompenses. Réfléchissez donc à tout cela, et transformez vos «je suis obligé» en «j'ai la chance».

D'un critique de livres: «J'ai vu un meilleur style sur le côté d'une boîte de céréales Shredded Wheat.»
(Stephanie Mansfield dans le Washington Post)

Pourquoi ne pas se servir de ce qui marche?

La bureaucratie: *un groupe de gens désorganisés et ineptes, engagés totalement à accroître leur propre nombre dans le but de transformer l'énergie pure et brute en déchets solides.*

Selon une rubrique de Marvin Olasky dans le *Wall Street Journal*, du 15 août 1995, environ 325 personnes se tinrent debout pendant deux heures en plein soleil du midi, le 17 juillet, à chanter «When the Saints Go Marching In» et à écouter des discours passionnés socialement conservateurs. Les manifestants étaient là pour assumer la défense d'un programme de traitement des cas de drogues hautement couronné de succès appelé «Défi jeunesse du sud du Texas», mais les bureaucrates de l'État s'en tinrent à leur exigence selon laquelle le programme devait prendre fin, ou faire face à des amendes de 4 000 $ par jour et à des peines de prison.

Depuis 30 ans, les bureaucrates ont fait savoir aux groupes de traitement des cas de drogues qu'ils devaient se fier à des conseillers professionnels autorisés, possédant une formation théorique, plutôt qu'à des ex-intoxiqués et à des alcooliques sobres, lesquels dirigent plusieurs des 130 groupes «Défi jeunesse» à travers le pays. Sidney Watson, président du conseil d'administration du «Défi jeunesse» local, à San Antonio, dit ce qui suit: «J'ai envoyé des gens à des services de conseillers autorisés, mais cela les mène habituellement à vivre en marge de la société. Notre programme change des vies.»

«Défi jeunesse» ne se conforme pas à toute la paperasserie, et ses différentes phases ne contiennent pas toutes ces «surfaces uniformes et antidérapantes» que renferment bien des programmes approuvés. Et pourtant, «Défi jeunesse» possède un taux de guérison à long terme de 67 à 85 pour cent chez les «diplômés» du programme. Au cours des années 80, un jury de révision du ministère de la Santé et des Affaires sociales conclut que «Défi jeunesse» était le meilleur et le moins cher des 300 programmes antidrogue que ce jury avait examinés.

Vu que le programme «Défi jeunesse» traite ses clients au coût de 25 dollars par jour tandis que certains programmes «de luxe» coûtent 600 dollars par jour et s'avèrent beaucoup moins efficaces, «Défi jeunesse» ne peut se permettre d'avoir des conseillers diplômés; voilà pourquoi le programme allait devoir prendre fin.

Dyrickey O. Johnson est entré et sorti à quelques reprises de ces centres dispendieux approuvés par l'État: «On avait notre propre chambre et on nous demandait de nous concentrer sur notre esprit et notre volonté... pourtant, un toxicomane n'a aucune volonté.» Dyrickey Johnson retomba toujours dans le crack et l'alcool jusqu'à ce qu'il découvre «Défi jeunesse». Il n'a pas consommé de drogues et d'alcool depuis que le programme lui a décerné un diplôme en 1992. Actuellement, il est marié et a deux jeunes enfants.

Je suis enchanté de vous annoncer que le programme «Défi jeunesse» de San Antonio œuvre encore et toujours dans le domaine de la désintoxication des toxicomanes et contribue à changer des vies.

Message: Le bon sens et la mise en pratique d'une idée sont encore la meilleure façon d'atteindre le sommet. Faites-en l'essai.

———————————

Malheureusement, il vous faut être à l'écoute de certaines personnes pendant longtemps avant de vous rendre compte qu'elles n'ont rien à dire.

———————————

Faites rebondir la balle de votre côté

Les gens oublient que vous avez terminé un travail rapidement, mais si par contre vous l'avez vraiment bien fait, ils s'en souviennent.

Il m'arrive souvent d'utiliser l'expression suivante: «Ce n'est pas tant ce qui vous arrive, que votre façon de faire face à ce qui vous arrive, qui va changer des choses.» Dès le départ, la balle ne sembla pas rebondir du côté de Celeste Baker, mais cela se passait au début de son histoire. Elle a une maladie de la jambe gauche qui porte le nom de dystrophie du réflexe sympathique, qui lui occasionne une très grande souffrance. La façon de Celeste d'affronter son propre défi constitue un tel encouragement pour ses camarades de classe du Baldwin Junior-Senior High School à Baldwin, en Floride, qu'on lui a attribué le prix «Je peux» (un prix décerné à partir des réalisations d'un individu) pour l'année scolaire 1994-95. L'exemple qui suit nous aide à comprendre pourquoi elle a reçu ce prix.

Un jour, Celeste téléphona à sa mère pour qu'elle vienne la rejoindre à l'école. Présumant qu'elle voulait retourner à la maison parce qu'elle était souffrante, Keith M. Jowers, le responsable des ressources de l'école, lui dit dans le but de l'encourager: «Eh bien, vous avez au moins la chance de quitter l'école plus tôt.» Celeste répondit immédiatement: «Oh non, monsieur Jowers, je veux seulement que ma mère m'apporte mes béquilles pour que je puisse marcher.» Elle refusait de rater le reste de cette journée d'école.

Celeste a vraiment adopté l'attitude du «Je peux». Elle joue au volley-ball et fait partie de l'équipe de natation. Elle utilise même les compétitions de nage à titre de thérapie. Voici certaines choses que ses professeurs disent sur son compte: «C'est une étudiante créative et charmante», ou bien «enseigner à Celeste cette année fut un ravissement», ou encore «Celeste est une étudiante appliquée et dévouée que j'ai grand plaisir à avoir dans ma classe.» Oui, elle incarne de bien des manières l'attitude du «Je peux». Sa façon de voir la vie est assurément extraordinaire. Et, comme je le disais, ce n'est pas ce qui vous arrive, mais votre façon d'y faire face qui fera toute la différence. Croyez en cette idée et adoptez l'attitude du «Je peux».

«Les lois antipollution de notre pays résultent "du désir des gens de Denver d'apercevoir les montagnes et du désir des gens de Los Angeles de se voir les uns les autres".»
(William Ruckleshaus)

Un leadership de tout premier plan

Avant de pouvoir guider quelqu'un d'autre, vous devez d'abord apprendre à vous diriger vous-même.

Le livre de Danny Cox, *Leadership When the Heat's On*, propose des conseils passionnants et très précieux sur le leadership. En voici quelques-uns:

46

Premièrement, les employés s'améliorent au même rythme que leur directeur, et peu importe à quel point leur dirigeant est intelligent ou talentueux, ce qui les intéresse avant tout, c'est l'attitude que vous adoptez face à eux.

Deuxièmement, les leaders ont un enthousiasme contagieux et, comme le fait remarquer Danny Cox: si vous ne possédez pas ce genre d'enthousiasme, peu importe l'attitude adoptée, cette attitude est également communicative.

Troisièmement, quand vous dressez une liste des choses à faire pour la journée suivante, n'allez pas au numéro deux après avoir terminé le numéro un. Au lieu de cela, comprenez bien que ce qui était le numéro deux devient maintenant le numéro un, et psychologiquement, il devient alors plus important que vous accordiez la priorité à ce travail pour qu'il soit accompli aussi bien que le précédent. Suivez cette procédure avec les numéros deux, trois, et ainsi de suite de votre liste.

Danny Cox dresse également une liste des 10 ingrédients de sa recette du leadership: (1) une conduite irréprochable; (2) une énergie prodigieuse; (3) une grande ardeur au travail; (4) de l'enthousiasme; (5) être axé sur un but; (6) être courageux; (7) se laisser guider par les priorités; (8) être non conformiste; (9) être équilibré; et (10) s'engager à former davantage les employés.

Au cours d'une entrevue avec George Foreman, Danny remarqua le nez de George et en arriva à la conclusion que c'était un homme qui connaissait la souffrance, et il lui demanda donc: «Comment avez-vous fait pour endurer toute cette souffrance afin de devenir le champion mondial des poids lourds?» George Foreman répondit: «Si ce que je veux apparaît clairement dans mon esprit, je ne ressens aucune douleur dans le but de l'obtenir.» Danny Cox fait alors remarquer que cette idée est également applicable à chacun de nous.

Danny nous a donné quelques excellents conseils. Je crois que si davantage de gens parmi nous les suivaient, nous produirions encore plus de leaders dans ce pays. Écoutez bien Danny Cox.

« Plusieurs aînés participaient à un atelier d'art et s'essayaient pour la première fois à diverses techniques. De derrière la cloison séparant ma classe de peinture à l'huile de celle d'aquarelle émanèrent ces mots de douce revanche : « Je crois que je vais envoyer celles-ci à mes petits-enfants pour qu'ils les expose sur leur réfrigérateur. »
(Collaboration au Sélection du Reader's Digest par Lynda Alongi)

À vous de choisir

Quand vous êtes la personne qu'il faut, accomplissant la meilleure chose à faire dans une situation donnée, l'aide et l'encouragement vous viennent alors de toutes parts.

Vous pouvez vous concentrer sur ce que vous avez ou vous plaindre de ce que vous n'avez pas. Cependant, je veux insister sur le fait que, ce sur quoi nous nous concentrons joue un rôle majeur dans ce que nous sommes capables d'accomplir dans la vie. Vous savez sûrement déjà que Heather Whitestone, la Miss America de 1995, est profondément sourde depuis l'âge de 18 mois.

Toutefois, Heather a toujours canalisé son attention sur ce qu'elle avait et non sur ses carences. Elle se concentra sur ses talents et non pas sur son handicap. Heather a la chance d'avoir des parents qui ont cru ardemment en elle, qui l'ont soutenue, aimée, encouragée, et qui ont travaillé de concert avec elle dans tout ce qu'elle a entrepris.

Cette merveilleuse jeune femme possède un esprit vif. Elle a également une formidable disposition d'esprit, une foi solide, et elle fut toute sa vie une travailleuse acharnée et persévérante. Elle est très habile à lire sur les lèvres et, au fil des années, plusieurs professeurs et d'autres gens l'ont aidée. Certains de ceux-là ont même pris le temps de faire des photo-copies de leurs propres notes à son intention.

Un point capital: Nombre de gens ont éprouvé aussi des problèmes, mais ils se concentraient sur ces problèmes au lieu de focaliser toute leur attention sur les solutions à ces mêmes problèmes. Mais comprenez-moi bien, c'est une observation que je fais ici et non pas une critique. Personne ne sait vrai-ment ce que ressentent les autres, et certains problèmes ne peuvent être résolus par l'être humain.

Pourtant, j'ai observé que les gens qui ont une attitude coopérative, aimante, enthousiaste, mesurée et positive atti-rent une foule de personnes qui non seulement sont disposées à les aider, mais qui sont également très désireuses de le faire. Dans certaines circonstances, votre attitude concernant votre propre condition s'avère encore plus importante que cette même condition.

« Trop souvent une occasion frappe à votre porte, mais le temps de dégager la chaîne, de tirer le verrou, de déverrouiller les deux serrures et de désamorcer la sonnerie d'alarme, il est trop tard. »
(Rita Cooledge)

Son engagement était total

C'est bien vrai: une préparation spectaculaire précède une performance spectaculaire.

D ans le monde du golf plusieurs noms sont devenus légendaires: Jack Nicklaus, Byron Nelson, Bobby Jones,

Ben Hogan, Arnold Palmer, parmi tant d'autres. Cependant, si on tient compte de tous les facteurs, plusieurs disent que Ben Hogan se classe tout en haut du mât totémique.

Les accomplissements de Ben Hogan sont trop nombreux pour les mentionner ici, mais il a terminé 242 fois dans les 10 premiers au cours de tournois de la PGA entre 1932 et 1970. Ben Hogan a remporté 30 tournois entre 1946 et 1948, après avoir passé 2 ans dans l'armée.

Toutefois, on se souvient surtout de lui parce que le 2 février 1949, son auto entra en collision frontale avec un autobus Greyhound et il fut à deux doigts de perdre la vie. Les docteurs doutèrent au début de ses chances de survie. Puis, ils prédirent qu'il ne marcherait plus jamais et ne jouerait plus au golf, mais seulement 16 mois plus tard, il arpentait le parcours de 18 trous du club de golf Merion à Ardmore, en Pennsylvanie, mettant la dernière touche au scénario de la victoire lors du U.S. Open de 1950.

Son nom est habituellement mentionné avec le plus grand respect, et les gens font régulièrement des commentaires sur l'intensité de son jeu, son engagement face à son entraînement, sa pleine concentration sur le problème immédiat, et son refus absolu, en toutes circonstances, de fournir moins que son meilleur effort. Il étudia probablement le golf davantage que n'importe qui d'autre dans l'histoire, et il travailla avec application, de l'aube à la nuit tombante, sur le terrain d'entraînement, mettant au point chaque facette de son jeu.

Je sais que vous n'êtes peut-être pas un golfeur, mais je vous parle de Ben Hogan parce que les qualités qui ont fait de lui un grand golfeur l'auraient également couronné de succès dans pratiquement n'importe quel domaine. La profondeur de son engagement était incroyable et son éthique de travail était des plus solides.

Il étudia le golf comme peu de gens l'avaient fait avant lui, et il avait l'absolue conviction qu'il pouvait s'améliorer quel que soit le niveau de son propre jeu. Je suis persuadé que si vous adoptez ces qualités et si vous vous concentrez sur l'emploi que vous avez choisi ou sur votre carrière, vous allez connaître le succès.

Si vous avez tendance à vous vanter, rappelez-vous seulement que ce n'est pas le sifflement d'un train qui le fait avancer.
(O.F. Nichols)

La conviction est la clef

Une personne se laisse davantage persuader par la profondeur de vos convictions que par l'ampleur de vos connaissances.

La regrettée Mary Crowley disait souvent qu'une personne agissant par conviction pouvait en faire davantage que 100 autres animées par l'intérêt. L'engagement est la clef pour aller jusqu'au bout et compléter un projet. La conviction précède toujours l'engagement.

Quand vous êtes convaincu, à titre de professionnel de la vente, que vous offrez un produit sensationnel, votre attitude, votre façon de vous tenir physiquement, les inflexions de votre voix, et vos expressions faciales font savoir à votre client éventuel que vous croyez ardemment pouvoir lui offrir quelque chose de grande valeur. Il arrive souvent que le client éventuel achète non pas à cause de sa propre conviction quant au produit, aux biens ou au service, mais à celle du vendeur relativement au produit qu'il propose.

Nos sentiments, nos émotions sont transmissibles. Le courage peut être et est fréquemment transmis à une autre personne. Il en va de même pour les convictions. Le professeur qui croit avec ferveur au message qu'il livre convaincra l'étudiant par la profondeur de sa propre conviction. L'une de mes citations préférées de Mary Kay Ash est la suivante: «Bien des gens se sont rendus beaucoup plus loin qu'ils pensaient pouvoir se rendre parce que quelqu'un d'autre a cru qu'ils le pouvaient.»

En un mot, leur assurance, née de la conviction d'une autre personne, leur a permis de réussir. Notre conviction provient du fait de savoir et de sentir que ce que nous enseignons, accomplissons, ou vendons est parfaitement correct. Quand nous transmettons cette conviction à ceux-là qui se trouvent à l'intérieur de notre zone d'influence, ils en bénéficient de même que toute la société.

Montrez-moi une personne possédant de profondes convictions et vous découvrirez en elle un être qui s'est engagé à transmettre ces convictions à d'autres. Indiquez-moi un grand leader et je vous ferai découvrir un être aux convictions profondes, capable d'attirer des partisans grâce à ces mêmes convictions. Je vous montrerai également une personne heureuse dans son travail et qui réussit bien plus que ces gens qui ne possèdent pas ces convictions. Message: Adoptez cette idée, cultivez ces convictions et prenez cet engagement.

«Je suis persuadé que nous avons tous entendu parler de cet employé qui consacre à l'entreprise qui l'emploie une vraie bonne journée de travail. Bien entendu, ça lui prend une semaine entière pour y arriver.»
(Executive Speechwriter Newsletter)

La motivation, la manipulation et le leadership

> *Un ami des beaux jours est toujours là quand il a besoin de vous.*

*O*n confond souvent les mots *motivation* et *manipulation*. La motivation intervient quand vous persuadez d'autres personnes de prendre des mesures au mieux de leurs propres intérêts. Le fait de préparer ses devoirs, d'assumer la responsabilité de sa propre performance et de parfaire son éducation, voilà bien la conséquence de la motivation. La manipulation consiste à persuader d'autres gens de prendre des mesures qui sont essentiellement à votre propre avantage. Le fait de vendre un produit de qualité inférieure à un prix exagéré et de faire travailler des gens en temps supplémentaire, sans prime, sont des exemples de manipulation.

Le manipulateur s'autodétruit à la longue par la manipulation. Les nouvelles s'ébruitent rapidement concernant le manipulateur, et avec le temps, il y a de moins en moins de chances que les gens réagissent positivement à ce genre de manipulations. La productivité décline. Le leadership intervient quand vous persuadez une personne de prendre des mesures au mieux de vos intérêts mutuels.

Dwight Eisenhower disait que le leadership est cette aptitude à persuader quelqu'un d'accomplir ce que vous voulez qu'il fasse, parce qu'il veut bien le faire. Quand cela se produit, la performance s'améliore, la productivité s'accroît, et les deux parties en sortent gagnantes.

Comparer la motivation et la manipulation, c'est comme comparer la bienveillance et la supercherie. La différence se situe au niveau de l'intention de la personne. La motivation amènera les gens à exercer leur liberté de choix et à exprimer leurs vrais désirs, tandis que la manipulation résulte souvent en un acquiescement forcé. La motivation est éthique et durable; la manipulation est immorale et temporaire.

Thomas Carlyle disait: «Un grand homme manifeste sa grandeur par sa façon de traiter le commun des mortels.» La valeur que vous accordez aux individus détermine si vous êtes un motivateur ou un manipulateur de gens. La motivation signifie avancer ensemble dans le but d'un avantage mutuel. La manipulation consiste à persuader ou même à contraindre subtilement des gens d'accomplir certaines choses pour que vous en sortiez gagnant et eux perdants. Avec le motivateur, tout le monde y gagne; avec le manipulateur, seul ce dernier gagne. Et à cela, je pourrais ajouter que la victoire du manipulateur est temporaire et que son prix est prohibitif.

Les leaders et les motivateurs sont des gagnants; les manipulateurs sont des perdants qui génèrent du ressentiment et de la discorde. Devenez un motivateur, dirigez vos gens, et ne les manipulez pas.

Entendu par hasard: «Je dépense beaucoup d'argent... mais nommez-moi une autre de mes extravagances!»

C'est dans le cœur

Au cours d'une bataille, ce n'est pas seulement la taille d'un chien qui importe, mais la taille de l'animal combatif qui se trouve en lui.

Dans notre monde d'aujourd'hui, le joueur de basket-ball collégial typique est tellement grand qu'il peut regarder

54

une girafe dans les yeux. Par conséquent, le fait que Keith Braswell, mesurant un mètre cinquante-deux, fut accepté dans l'équipe de basket-ball de l'université Dayton semble quasiment incroyable.

Il est le plus petit joueur de l'histoire de l'école avec six centimètres de moins que son plus proche rival. Ce nouveau joueur des Flyers lève les yeux vers Muggsy Bogues qui mesure un mètre soixante et joue dans la NBA pour les Hornets de Charlotte. Ce dernier est beaucoup plus petit que Spud Webb, qui fut vraiment le premier joueur de petite taille à être sélectionné dans la NBA.

La chose la plus remarquable est peut-être le fait que Keith Braswell fut sélectionné dans l'équipe à titre de remplaçant. Il est incroyablement rapide, possède un formidable lancer, contrôle le ballon avec adresse, et il est même plutôt habile dans l'art des rebonds.

Mike Calhoun de l'est du Kentucky, un instructeur compétitif, résume une partie de son succès quand il affirme ce qui suit: «Keith a un grand cœur, sa passion et son enthousiasme excitent les foules.» Keith Braswell apporte aux hommes et aux femmes de petite taille, et par la même occasion à des gens qui furent désavantagés ou qui ont à subir des handicaps, l'ingrédient primordial appelé «espoir».

Tout cela pour dire qu'il est relativement facile de placer des gens sur un pèse-personnes et de dire exactement quel est le poids de chacun. Vous pouvez leur demander de se tenir debout et mesurer de façon précise quelle est leur grandeur. Mais il est impossible de mesurer les qualités humaines que les entraîneurs comparent constamment au «cœur». Quand nous reconnaissons, utilisons et développons ce qui est en nous à son maximum, il est étonnant de constater ce que nous pouvons alors faire de nos vies. Ne perdez pas ce jeune homme de vue; c'est un bâtisseur d'espoir.

« Pouvez-vous me dire où je pourrais trouver le livre L'Homme, le sexe supérieur ? *», demanda un homme à une vendeuse. « Bien sûr, vous le trouverez à l'étage dans le rayon de science-fiction », répliqua-t-elle.*

Mademoiselle Amy Whittington est une « faiseuse de différence »

> *« Comme il est vain de s'asseoir pour écrire quand vous n'avez même pas regardé la vie en face. »*
> Henry David Thoreau

Dans l'espace de toute une vie, chacun de nous exerce sur un grand nombre de gens une influence grâce aux mots et aux actes, que ce soit en bien ou en mal. Cela signifie que nous sommes tous des « faiseurs de différence ».

Mademoiselle Amy Whittington se qualifie certainement parmi ces gens qui ont influencé directement et indirectement des milliers de personnes. À l'âge de 83 ans, elle continuait d'enseigner à une classe de catéchisme à Sault-Sainte-Marie, dans le Michigan. Elle apprit que l'Institut Moody Bible de Chicago présentait un séminaire pour enseigner aux gens comment devenir des instituteurs plus efficaces.

Elle épargna littéralement ses sous jusqu'à ce qu'elle ait suffisamment d'argent pour s'acheter son billet d'autobus pour Chicago. Elle roula en autobus toute la nuit pour participer au séminaire afin d'apprendre des méthodes et des procédures nouvelles dans le but de mieux accomplir son travail.

L'un des professeurs du groupe de travail, impressionné par son âge, son enthousiasme, et par le fait qu'elle avait roulé toute la nuit en autobus afin de participer au séminaire, engagea la conversation avec elle. Il lui demanda à quelle tranche d'âge elle enseignait et combien y avait-il d'élèves dans sa classe.

Quand elle répondit qu'elle enseignait à une classe de garçons du niveau secondaire et qu'il y avait 13 élèves dans la classe, le professeur lui demanda combien parmi les élèves de l'école faisaient partie de l'église. Mademoiselle Whittington répliqua: «Cinquante.» Le professeur surpris qu'elle enseignât à plus de 25% des élèves fréquentant l'église, répondit: «Avec une telle performance, nous devrions vous demander de nous enseigner comment enseigner.» Il avait tout à fait raison!

Je m'empresse d'ajouter que les gens qui sont déjà bons dans ce qu'ils font ont bien plus de chances de réussir à s'améliorer que les personnes qui ne sont performantes qu'à l'occasion. Quel genre d'impact mademoiselle Amy Whittington a-t-elle eu? Quatre-vingt-six des garçons auxquels elle a enseigné dans sa classe de catéchisme, au fil des années, devinrent ministres du culte. Pouvez-vous vous imaginer les milliers de personnes qu'elle a influencées à jamais directement et indirectement? Elle était véritablement une «faiseuse de différence». Vous en êtes également un ou une, faites donc en sorte que cette différence compte.

Quand un homme devient trop gros pour enfiler son pantalon, il découvre quelqu'un d'autre dans ses souliers.

La dignité de la simplicité

Vous ne pouvez pas maintenir un homme au sol sans rester vous-même par terre. »
Booker T. Washington

L'auteur John Maxwell écrit: «Il existe une grande dignité dans la simplicité. La plupart des œuvres immortelles de la littérature ont non seulement l'éclat de la brièveté, mais également la dignité de la simplicité. Le Notre Père comprend 57 mots en anglais, et aucun de ces mots ne compte plus de deux syllabes. La déclaration de l'Indépendance, qui révolutionna la pensée du monde entier, peut être lue par un élève de quatrième année en moins de cinq minutes. La simplicité est éloquente; elle parle haut et clair sans insulter l'intelligence de l'auditeur.»

Tandis que je lisais ces mots, je sentis le besoin de rechercher le mot *dignité* dans mon fidèle *Dictionnaire Noah Webster de 1828*. Voici la définition qu'on y retrouve: «Le véritable honneur. La noblesse ou l'élévation de l'esprit. Elle se compose d'un haut niveau de convenance, de vérité et de justice, avec une aversion pour les actes coupables et mesquins. C'est de l'élévation; une honorable place ou un haut niveau d'élévation; un degré d'excellence, ou bien dans l'appréciation, ou bien dans l'ordre de la nature.»

Un parent ou un professeur qui traite un enfant avec dignité l'aide à bâtir son estime de soi et fait automatiquement augmenter la performance de l'enfant, ce qui d'habitude contribue à améliorer sa conduite. Un employeur qui traite ses employés avec respect et dignité crée de la loyauté et accroît ainsi la productivité.

Vous traitez une autre personne avec dignité, quel que soit son âge, quand vous l'écoutez poliment et que vous lui répondez d'une façon attentionnée. Vous traitez les autres avec dignité quand vous leur témoignez du respect, quels que soient leur occupation, leur sexe, leur race, leur religion, ou la couleur de leur peau. Et quand vous traitez les autres avec respect et dignité, votre amour-propre et votre sens de la dignité augmentent.

La simplicité et la dignité constituent un puissant mélange. Quand vous vous évertuez à acquérir la dignité et que vous utilisez la simplicité comme mesure, vous décuplez à coup sûr vos possibilités d'accomplir de grandes choses.

Un maître des cérémonies s'adresse à l'auditoire: «Et maintenant il me fait plaisir de vous débiter les exagérations habituelles en ce qui a trait aux réalisations de notre conférencier invité.»

La petite ville pleine d'avenir

> *«Ne critiquez jamais un quelconque projet de votre entreprise tant que vous n'aurez pas trouvé une meilleure solution de rechange à ce projet et élaboré le tout sur papier, tout en vous tenant prêt à mettre en jeu votre réputation de cadre supérieur quant à sa faisabilité.»*
> Maxey Jarmon

L a plupart des gens, quand ils pensent à un géant industriel en pleine expansion, n'ont pas à l'esprit la ville de Tupelo, au Mississippi. Mais ils le devraient! La ville de Tupelo possède de l'enthousiasme, un esprit communautaire, du bon sens, des travailleurs acharnés, et elle s'engage à aller de l'avant dans ce secteur concurrentiel.

Ces qualités ont amené l'économiste Sheila Tschinkel à faire le commentaire suivant: «En termes de développement économique, la ville de Tupelo est toujours en vogue.» Charles Gordon, directeur des communications de l'entreprise chez Norbord Industries, un fabricant canadien de produits du bois, dit que son entreprise a préféré Tupelo à d'autres concurrents. Ils ont agi ainsi car «ils étaient les gens les plus professionnels que nous ayons jamais rencontrés dans le domaine du développement industriel.»

L'attitude des citoyens et le dur labeur ont amené 18 entreprises Fortune 500 à s'établir dans cette ville du Mississippi. La liste comprend des entreprises renommées telles que Sara Lee Corporation et Cooper Tire and Rubber Company et un certain nombre de fabricants de meubles et d'investisseurs provenant d'aussi loin que la Suisse, le Brésil et l'Australie.

Selon un article du *Wall Street Journal*, plusieurs raisons expliquent le succès de Tupelo. Premièrement, Tupelo s'est engagée à long terme à investir dans la collectivité. Deuxièmement, la ville de Tupelo dépense beaucoup pour créer une main-d'œuvre compétente et elle intervient rapidement quand il s'agit d'aborder les griefs de la minorité. Troisièmement, il y a dans cette ville des gens disposés à prendre des risques calculés.

Par exemple, George McLean, éditeur du *Daily Journal* de la ville, de 1934 jusqu'à sa mort en 1983, a fait en sorte qu'il se passe des choses à Tupelo. Quand un manque d'espaces disponibles pour les usines et les entrepôts menaça de stopper la croissance à la fin des années cinquante, il contracta une hypothèque sur son journal afin de faire construire plus de 60 500 mètres carrés de zone industrielle. Ce genre d'attitude et d'engagement ont attiré des investisseurs de partout dans le monde.

La réunion de tous ces facteurs explique pourquoi cette petite ville du Mississippi a accompli de si grands progrès. À titre de preuve supplémentaire, en 1991, un contrat de 17 millions de dollars pour la construction d'une nouvelle école secondaire fut signé avec l'approbation de 89% de l'électorat.

Le message est le suivant: d'autres cités, dans une situation semblable, peuvent adopter la démarche de la ville de Tupelo et améliorer de façon spectaculaire la qualité de vie de leurs résidents.

L'un des défis que doivent affronter les professeurs et les parents est celui d'expliquer l'importance d'une bonne nutrition à des jeunes qui ont atteint une taille de plus de 1,85 m grâce à une alimentation peu nutritive.

Agissez: ne réagissez pas

Notre avenir serait assuré si nous accomplissions autant de choses aujourd'hui que nous prévoyons en faire demain.

La plupart des gens admettent que la perte des deux bras pour un enfant de 3 ans représente une incroyable tragédie. C'est ce qui est arrivé à Jon Paul Blenke. Ses parents et lui ont rapidement accepté le fait qu'il serait privé de ses bras jusqu'à la fin de ses jours et décidèrent de s'adapter, d'utiliser ce qui lui restait, et de ne pas gémir sur cette perte.

Malheureusement, la plupart du temps, quand les gens perdent des avoirs financiers ou l'usage d'un membre, ils adoptent l'attitude suivante: «J'ai tout perdu et je ne peux rien y faire.» Jon Paul était d'instinct plus raisonnable, ses parents l'encouragèrent et les résultats sont éloquents.

N'importe quel parent serait fier d'avoir Jon Paul pour fils, et tout entraîneur serait ravi de l'avoir dans son équipe. Aujourd'hui, Jon Paul est un jeune homme sociable, enthousiaste, fortement motivé, et qui possède une extraordinaire façon de voir les choses. Quand quelqu'un lui dit qu'il ne peut pas faire telle ou telle chose, il se met tout de suite à réfléchir comment s'y prendre pour y parvenir. Il joue au soccer, écrit avec ses pieds, conduit la tondeuse à gazon avec ses jambes, nage, patine, fait du ski, et joue au football.

L'entraîneur Bob Thompson des Bobcats de Leduc affirme que Jon Paul est un joueur compétent et ses coéquipiers disent «qu'il frappe fort en sapristi». Ils éprouvent du respect pour lui, et l'entraîneur déclare que Jon Paul est un superbe athlète. «Dans son esprit, il n'a aucune infirmité. La seule position où il ne peut pas jouer est celle d'arrière, mais s'il existe une façon d'y parvenir, il la trouvera.» Il y a dans son esprit bien peu d'obstacles qu'il ne peut pas surmonter. Quand il éprouve de la frustration, cela ne dure pas longtemps, et il lui arrive très rarement de renoncer à la lutte.

J'ai l'impression que ce jeune homme va bien se débrouiller dans la vie, et il joue déjà magnifiquement un rôle d'exemple à suivre. Je vous encourage à apprendre des tas de choses de cet enthousiaste jeune homme.

Les personnages de la bande dessinée «Peanuts», Charlie Brown et Lucy, étaient en train de jouer aux billes, et Lucy gagnait. Chaque fois qu'elle atteignait les billes d'agate de Charlie, ce dernier répétait: «Chance, chance, ce n'est que de la chance.» La seconde case de la bande dessinée était une variante du même thème. Dans la troisième case, Lucy marchait d'un air coquin sur la rue avec toutes les billes de Charlie, et ce dernier continuait de dire: «Chance, chance, ce n'est que de la chance.» Mais quand Lucy eut tourné le coin de la rue, il dit: «Dis donc, cette fille sait vraiment comment jouer aux billes!»
(Executive Speechwriter Newsletter)

La vérité est plus excitante et plus étrange que la fiction

Voici de bonnes nouvelles: vous pouvez changer. Assurez-vous que ce soit pour le mieux.

*A*utant en emporte le vent est un classique du cinéma. *Scarlett* est la suite de ce classique. Toutefois, il y avait plus qu'un fond de vérité dans l'histoire originale. Rhett Butler a existé, mais son vrai nom était Rhett Turnipseed. Scarlett O'Hara s'appelait Emelyn Louise Hannon. Oui, Rhett la quitta et s'enrôla dans l'armée des Confédérés. Quand la guerre fut terminée, Rhett Turnipseed devint un joueur itinérant. Il se retrouva à Nashville où sa vie changea du tout au tout le matin de Pâques de l'année 1871, quand il participa à une rencontre de renouveau méthodiste et devint un chrétien convaincu.

Peu de temps après, Rhett s'inscrivit à l'université Vanderbilt et devint un pasteur méthodiste. Le révérend Rhett s'inquiétait d'une jeune femme parmi ses ouailles qui s'était enfuie et qui travaillait dans une maison close à Saint-Louis. Rhett partit à sa recherche à cheval et la trouva. Chose incroyable, la «madame» (tenancière de cette maison de prostitution) de l'établissement était son ancienne amoureuse, Emelyn Louise Hannon, c'est-à-dire Scarlett. Elle refusa que Rhett puisse voir la jeune femme; Rhett lui lança donc un défi aux cartes. S'il gagnait, la jeune femme serait libre; si Scarlett gagnait, elle resterait dans l'établissement. Rhett gagna.

Heureusement, l'histoire se termine bien pour tout le monde. La jeune femme fit un heureux mariage et exerça une autorité matriarcale sur une importante famille de l'État. Plus tard, Emelyn, impressionnée par le changement spectaculaire dans la vie de Rhett, se fit chrétienne et membre de l'église méthodiste. Par la suite, elle fonda un orphelinat pour les enfants Cherokee. Elle mourut en 1903, comme l'indique l'inscription sur sa tombe.

Le message comporte deux volets. Premièrement, la vérité est vraiment plus étrange que la fiction et, deuxièmement, oui les gens peuvent changer. De joueur à pasteur, et de «madame» à directrice d'un orphelinat pour enfants réfugiés, cela représente tout un changement. Par conséquent, n'abandonnez pas. Vous pouvez changer.

L'humoriste J. Scott Homan disait qu'il essayait de se remettre en forme en faisant 20 redressements assis chaque matin. Cela peut paraître peu, mais pas s'il les exécutait après chaque déclenchement du bouton de rappel du réveil.

Être égoïste d'une façon intelligente

Une personne n'est pas plus grande que ses rêves, ses idéaux, ses espoirs, et ses projets. Une personne rêve son rêve et escompte bien le réaliser.
Chaque personne est l'aboutissement de son rêve.

La revue *Fortune* publia un article intrigant sur un multi-milliardaire de Hong-Kong du nom de Li Ka-Shing. Ses deux fils, Victor et Richard, furent élevés dans l'entreprise de leur père, assistant aux réunions du conseil d'administration et aux conférences, où ils furent formés, informés, et endoctrinés d'après la philosophie de leur père.

Si vous valez quelques milliards de dollars, vous adoptez manifestement vis-à-vis vos enfants une attitude différente de la plupart d'entre nous. Par exemple, comment expliquez-vous à un jeune garçon de 9 ans qu'il ne peut pas obtenir une bicyclette de 250 $ parce qu'elle est trop onéreuse, quand ce jeune garçon a déjà fait le constat que l'argent ne constitue pas un problème chez lui?

Mais Li Ka-Shing reconnaît que la question n'était pas d'avoir ou non les moyens de l'acheter; l'idée en jeu était d'enseigner de solides principes. Pour cette raison, il surveilla étroitement les gâteries qu'il accordait à ses fils. Selon la tradition, les adolescents qui grandissent dans des familles extraordinairement riches ont l'habitude des limitations financières, car la fortune accumulée est demeurée dans la famille depuis plusieurs générations, contrairement aux athlètes ou aux étoiles de cinéma nouvellement riches.

Ce qui constitue peut-être la chose la plus astucieuse que Richard a remarqué en observant son père, lequel était véritablement un génie animé de l'esprit d'entreprise, est que ce dernier se lançait dans plusieurs entreprises en participation avec des gens qui avaient des produits et des idées mais qui n'avaient pas suffisamment de fonds. Richard apprit que le fait de recevoir 10% d'une entreprise par suite de votre investissement, s'avère un pourcentage équitable; et même si vous savez que vous pouvez obtenir 11%, il est sage de ne prendre que 9%.

Li Ka-Shing enseigna à ses garçons que s'il prenait moins qu'il pouvait obtenir, un grand nombre d'autres personnes avec de bonnes idées et de bons produits, mais sans argent, afflurait à sa porte. Résultat on ne peut plus concret: plutôt que de conclure un seul marché profitable, même s'il était âpre au gain, il pouvait en faire plusieurs excellents et solides à un pourcentage plus bas, et le montant total des profits s'avérerait alors beaucoup plus élevé. Cela s'appelle être égoïste d'une façon intelligente, ce qui en fait signifie être généreux et sage.

On décrit avec justesse un hypocrite comme étant celui qui n'est pas lui-même le dimanche.

«... à me garder moi-même...»

> *«La fausse humilité est une fuite*
> *de ses responsabilités.»*
> Fred Smith

La promesse scoute dit intégralement ce qui suit: «Sur mon honneur, je m'engage à servir de mon mieux Dieu, mon pays, et à observer la Loi scoute; à aider les autres en toutes circonstances; à me garder moi-même fort physiquement, vif d'esprit et loyal moralement parlant.»

Considérons la dernière partie de la promesse: «fort physiquement». Quand nous prenons soin de notre corps, cela nous procure l'énergie nécessaire pour en faire davantage dans notre vie personnelle, familiale et dans notre métier. Une étude portant sur des cadres supérieurs haut placés a révélé que 93 pour cent d'entre eux jouissent d'un haut niveau d'énergie. Moins de 10% d'entre eux fument, 90% d'entre eux font de l'exercice physique régulièrement, et presque tous connaissent leur taux de cholestérol. Les bienfaits de la bonne forme physique sont incalculables.

Le fait d'être «vif d'esprit» est manifestement important en cette période de changements rapides sans précédent dans l'histoire. Une préparation mentale par la lecture, la participation à des séminaires, l'écoute, ou le visionnement de cassettes audio et vidéo éducatives, et l'étude font certainement partie intégrante de la vie d'un jeune. En outre, ce qu'ils apprennent dans le scoutisme, relativement au fait d'être vif d'esprit, inclut le renoncement au tabac, à l'alcool, et aux drogues illégales, qui sont des destructeurs de l'esprit et du corps.

La partie de la promesse qui parle d'être «loyal moralement» est peut-être celle qui a la plus grande portée. Une étude concernant les présidents-directeurs généraux des entreprises Fortune 500 révéla que leur atout numéro un était leur intégrité. Les membres de la classe de finissants de 1949 de l'école de commerce Harvard, laquelle classe est reconnue comme la plus éminente de l'histoire de l'école, affirment quasi unanimement que leur éthique, leurs valeurs, et leur engagement à être moralement justes avec leurs familles furent les principales raisons de leurs réussites.

Le fait de regrouper toutes ces choses ensemble prouve sans l'ombre d'un doute que la promesse scoute, suivie fidèlement, générera une part disproportionnée de gagnants dans la société. Pensez-y. Intégrez la promesse scoute dans votre vie.

Un homme était en train de prier : « Seigneur, est-il vrai que pour Vous une minute équivaut à un millier d'années et un sou à mille dollars ? Le Seigneur répondit : « Oui. » Puis, l'homme demanda : « Alors, puis-je avoir un sou ? » Le Seigneur répliqua : « Dans une minute. »

Il n'est jamais trop tard !

L'échelle de la vie est pleine d'échardes de bois, mais vous n'en prenez conscience que lorsque vous glissez en bas.

En mai 1983, Helen Hill, âgée de 95 ans, reçut son diplôme du secondaire. Elle était complètement extatique. Quand elle avait terminé le cours secondaire soixante-seize ans plus tôt, ses cinq camarades de classe et elle-même n'avaient pas reçu de diplôme formel car l'école était criblée de dettes, au point où elle ne pouvait pas se le permettre. Madame Hill était la seule survivante de la classe de 1907, elle ne pouvait donc

pas partager sa joie et son excitation avec ses anciennes camarades de classe. Le message est clair: Une déception du passé
peut se transformer en un grand plaisir aujourd'hui. Il n'est
jamais trop tard!

Carl Carson, au doux âge de 64 ans, décida d'effectuer un
changement de carrière. À cet âge, la plupart des gens pensent
en termes de retraite, ce qui est bien malheureux. Bien des
gens âgés de 64 ans sont demeurés très jeunes et ont accumulé
des expériences à partir desquelles ils peuvent se construire
des carrières excitantes et rémunératrices. Carl avait été
couronné de succès à titre d'agent de crédit-bail dans le
domaine de l'automobile et des camions.

Pour sa nouvelle carrière, il décida de se lancer dans le
métier de consultant. Son plan original était d'offrir ses
services à 10 clients. Comme plusieurs d'entre nous, quand il
atteignit son objectif plutôt modeste, il décida d'en faire plus.
Il se mit à publier un journal mensuel, conseillant ainsi 1200
abonnés payants. Vers l'âge de 75 ans, Carl Carson sillonnait
le pays une centaine de fois par année, prenant la parole lors
de congrès et éprouvant beaucoup de plaisir à le faire.

Le message est absolument explicite: Il n'est jamais trop
tard pour rêver, pour apprendre, ou pour changer. Trop de
gens inventent des excuses pour ne pas avoir atteint leurs
objectifs. Ils ne vivent pas au bon endroit, ils sont trop vieux
ou trop jeunes, ou ont une pléiade d'autres excuses à vous
présenter. Je ne dis pas que cela sera facile car la vie est dure,
mais cela peut en valoir vraiment la peine! Il est vrai que vous
ne pouvez pas empêcher les jours de s'écouler ou revenir en
arrière dans le temps, mais vous pouvez pourtant encore
rêver, vous fixer des objectifs, et employer ces talents qui n'appartiennent qu'à vous.

-----

*«Montrez-moi un homme qui marche la tête bien haute et je vous
montrerai un homme qui ne s'est pas tout à fait habitué
à ses verres à double foyer.»*
(Stripped Gears)

Renaître de ses cendres

Les problèmes suscitent la patience; la patience appelle la persévérance; la persévérance forme le caractère; le caractère provoque l'espoir; l'espoir génère la puissance.

Plusieurs désastres et tragédies engendrent d'incroyables réalisations et des progrès énormes. Au mois d'août 1883, une tornade dévasta la ville de Rochester, dans le Minnesota, et pourtant, de ces cendres surgit la clinique Mayo, célèbre dans le monde entier. Selon un récent article de Daniel J. Murphy dans le *Investors Daily*: «Mère Alfred Mœs, fondatrice des Sœurs de saint François, amena avec elle ses sœurs, sans formation, pour aider à soigner les gens blessés lors de la tornade. Tandis qu'elle était sur place, elle convainquit un médecin de la ville, de premier plan, de diriger un futur hôpital pour la construction duquel elle s'engageait à collecter les fonds. Le nom de ce médecin et chirurgien était William Worral Mayo, et l'hôpital, le Sainte-Marie, était un présage, et est encore affilié à la clinique Mayo, célèbre dans le monde entier.»

Au tout début de ce siècle, l'anthonome dévasta les récoltes de coton du Sud, frappant particulièrement durement le sud de l'Alabama. Le désastre amena une prise de conscience quant à la nécessité de diversifier les cultures. Les fermiers de cette région se mirent à cultiver des arachides, des graines de soya, du maïs, du sorgho, des légumes frais, et bien d'autres encore. L'économie s'améliora tellement que les résidents de la ville d'Enterprise, en Alabama, élevèrent en fait un monument en hommage à l'anthonome du cotonnier, dans le centre de la ville.

Dans ma vie personnelle, un désastre devint malgré les apparences un bien. La date de publication de mon premier livre *Rendez-vous au sommet** approchait à grands pas quand ma vésicule biliaire éclata. Étant incapable de voyager, mon programme de conférences très chargé dut être abruptement interrompu pendant 22 jours. Au cours de 19 de ces 22 jours, je fus capable de travailler de 10 à 12 heures par jour, soit couché dans un lit ou assis calmement dans un fauteuil. Si je n'avais pas pu disposer de ces heures-là, il est sûr et certain que ce livre n'aurait pas pu être terminé à la date limite.

Voici le message à comprendre: Quand un malheur frappe, demandez-vous quel bien vous pouvez en retirer? Dans plusieurs cas, vous découvrirez qu'une calamité temporaire peut se transformer en un gain à long terme.

«Dieu créa l'homme. Puis, Il se recula, examina Sa créature, et dit:
«Je peux faire mieux que cela», et Il créa la femme.»
(Mary Crowley)

L'employabilité

> *Vous pouvez terminer vos études et le faire même avec facilité. Cependant, vous ne terminerez jamais votre éducation, et celle-ci s'avère rarement facile.*

Combien de chômeurs sont-ils susceptibles d'être employés? Probablement la plupart, du moins jusqu'à un certain point. Mais plusieurs ne sont pas aptes à être employés pour les meilleurs postes car ils n'ont pas la formation, les antécédents, l'éducation, ou le désir d'obtenir les

---

* Produit aux éditions Un monde différent sous format de livre et de cassette audio.

70

meilleurs emplois. Il est vrai qu'ils aimeraient que quelqu'un leur distribue des emplois, qu'ils soient qualifiés ou non. Toutefois, dans les affaires et dans l'industrie, les travailleurs doivent offrir davantage que ce qu'ils coûtent en salaires et en avantages sociaux, ou bien l'entreprise fait ultimement faillite et tous se retrouvent alors au chômage.

L'entreprise Lincoln Electric à Euclid, dans l'Ohio, avait 200 emplois disponibles, mais l'entreprise ne pouvait même pas combler ces postes parmi les 20 mille candidats qui s'étaient présentés. La raison: Ils n'avaient pas réussi les mathématiques du cours secondaire.

Par conséquent, à qui donc est la faute? Certains diront que les parents ne les ont pas soumis à une discipline et obligés à étudier; d'autres diront que le système d'éducation n'est plus fonctionnel quant à répondre aux besoins; d'autres encore diront peut-être que le gouvernement n'a pas subventionné suffisamment l'éducation de ces gens.

En fin de compte, la réalité nous apprend que chacun de nous doit assumer la responsabilité d'acquérir les connaissances dont nous avons besoin pour décrocher les emplois que nous désirons. Par exemple, pour les 20 mille personnes qui ne pouvaient pas se qualifier pour l'un de ces emplois bien rémunérés à Lincoln Electric, la solution est de se rendre directement à l'une des écoles de la collectivité et de suivre des cours de rattrapage en mathématiques.

En somme, les centres de main-d'œuvre et d'orientation professionnelle, ou les instituts d'alphabétisation, pourraient s'avérer d'une grande utilité, et chaque candidat a sûrement au moins un ami qui est qualifié et qui pourrait être disposé à l'aider. Il est vrai que cette démarche requiert de l'initiative et de faire face à quelque embarras, mais le fait de refuser d'affronter ce problème ne facilitera pas et n'améliorera pas les choses.

Message: Si vous voulez obtenir un meilleur emploi, cherchez de l'aide. Il est étonnant à quel point trois heures par semaine pendant environ dix semaines vous aideront à améliorer vos aptitudes, votre assurance, et votre amour-propre. Faites-le maintenant, allez chercher cette aide, et votre vie sera transformée.

———————

Ce n'est pas étonnant que j'aie eu un complexe d'infériorité étant jeune! Mon meilleur ami était capitaine de l'équipe de football, lanceur étoile de l'équipe de base-ball, meilleur marqueur de l'équipe de basket-ball, c'est lui qui prononça le discours d'adieu de la promotion de la classe, et qui joua le rôle de saint Joseph dans la pièce présentée à l'occasion de Noël.

Le travail... qui en a besoin?

Pour changer vos amis, votre famille, et votre mode de vie, vous devez d'abord vous changer vous-même.

Quelqu'un a dit un jour que le travail est le père de la réussite et l'intégrité en est la mère. Si vous pouvez vous entendre avec ces deux membres de la famille, il vous sera facile de composer avec les autres membres. Cependant, trop de gens ne font pas suffisamment d'efforts pour s'entendre avec le père et tiennent la mère complètement à l'écart. Certains cessent même d'être à la recherche d'un emploi aussitôt qu'ils en trouvent un.

La conception du travail de plusieurs personnes est qu'il devrait être plaisant et plein de sens, sinon il ne faudrait pas s'attendre à ce qu'on le fasse. Je suis convaincu que le pur amour du travail, avec toutes ses récompenses, devraient procurer une énorme satisfaction. Charles Gow soutient que le travail donne de l'appétit; il vous apporte un sommeil paisible et profond; il vous permet d'apprécier pleinement vos vacances. La vérité est que nous avons tous besoin de travailler.

À mon avis, je crois que personne ne trouve plus de plaisir dans son travail que j'en ai à accomplir le mien, et pourtant, certaines étapes sont ennuyeuses: des dates limites continuelles et, à l'occasion, des vols annulés ou retardés, où je dois rester assis pendant des heures dans un aéroport près de la piste d'atterrissage. Ces choses-là ne sont pas plaisantes ni pleines de sens, mais elles font partie intégrante de mon travail. Donc, quand les vols sont retardés, je réagis en utilisant ce temps à écrire et à faire des recherches.

Voltaire disait que le travail nous préserve de trois grands maux: l'ennui, le vice, et la pauvreté. Avec ce concept à l'esprit, nous pouvons considérer les avantages et comprendre que «vous ne payez pas le prix, vous jouissez des avantages». Thomas Edison disait: «Rien ne remplace le dur labeur. Le génie représente un pour cent d'inspiration et quatre-vingt-dix-neuf pour cent de transpiration.» Benjamin Franklin l'exprimait ainsi: «Une clef qui a servi a toujours plus d'éclat.» Et finalement, Richard Cumberland fit la remarque suivante: «Il est préférable de se tuer au travail que de se rouiller.»

En conclusion: Si vous ne travaillez pas, vous passerez à côté de bien des joies et des avantages de la vie elle-même. Concentrez-vous donc sur les choses que vous aimez dans votre travail et les privilèges que vous pouvez en tirer. Déployez dans votre travail cet élan additionnel d'énergie que vous ressentez toujours à la veille des vacances. Non seulement prendrez-vous alors davantage plaisir à votre travail, mais les augmentations de salaire et les louanges croiseront également votre route.

Ne forcez pas la note dans le travail. Souvenez-vous que l'homme qui est toujours affairé comme une abeille pourrait se réveiller et découvrir que quelqu'un a volé son miel.

L'entrepreneur se porte bien

Tout problème porte la semence d'un avantage équivalent ou plus grand.

Il arrive parfois qu'une perte importante soit le catalyseur d'un gain encore plus important. Au début des années 80, les fermiers des comtés de Delta et Montrose, dans le Colorado, perdirent un avantageux contrat de culture d'orge, ce qui remit en question leur avenir. L'industrie agricole avait subi de nombreux revers. L'inflation, les taux d'intérêt élevés, et d'autres facteurs avaient fortement réduit le nombre de fermes.

La situation était sérieuse et le gouverneur envoya donc son équipe spécialisée dans le domaine économique afin de prêcher l'agriculture à valeur ajoutée. John Harold, un fermier du coin, bien connu dans la région, décida d'assumer un risque et de miser sur le maïs sucré Olathe. Il s'agissait vraiment, dans ce cas, de prendre le citron proverbial et d'en faire de la limonade. En 1985, ils expédièrent 12 568 caisses de maïs. Aujourd'hui, ils en expédient 500 000 caisses par année. Comment cela est-il arrivé?

Le maïs sucré Olathe était depuis longtemps très prisé dans la région du versant ouest du pays. En améliorant le processus d'entreposage et d'expédition, et en assurant une livraison expéditive, John Harold fit connaître avantageusement ce maïs sucré d'Atlanta jusqu'à Los Angeles.

Le rôle de John Harold est avant tout celui d'un coordonnateur quand il travaille avec vingt-cinq autres cultivateurs, incluant lui-même. Ils calculent le temps que nécessite la récolte afin que tout se déroule en moins de huit semaines. Le maïs est mis en caisses sur le terrain, quarante-huit épis par

74

caisse. Puis, on transporte le maïs par camion jusqu'à l'appareil réfrigérant de John dont la capacité est de 1858 mètres carrés. Un chariot à fourche sort les caisses du camion et une benne preneuse injecte un mélange de neige à moitié fondue dans chaque caisse afin de s'assurer que le maïs soit conservé à basse température. Soixante-quinze pour cent du maïs est déjà en route dans les camions le jour même où il est cueilli; et aucun épi de maïs ne reste plus de trois jours dans l'appareil réfrigérant.

En ajoutant de la valeur à leur produit, les fermiers des comtés de Delta et Montrose ont lancé un nouveau marché énorme, lequel fut grandement facilité par le bon vouloir de John Harold de courir le risque et d'essayer quelque chose de neuf.

Si vous êtes animé de l'esprit d'entreprise et êtes disposé à vous hasarder non sans danger, vous pourrez transformer des citrons en limonade.

Il arrive parfois qu'un père gagne. Un collégien écrivait à son père: «Je ne comprends pas comment tu peux te qualifier de parent bienveillant alors que tu ne m'as pas fait parvenir de chèque depuis deux mois! Quelle est donc cette forme de bienveillance?» Le père répliqua: «Mon fils, cela s'appelle une bienveillance inlassable.»

Les leaders sont des communicateurs

Le tact est l'art d'enflammer les gens sans que leur sang ne bout dans leurs veines.

Un vieil adage prétend: «Que ce qui peut être mal interprété le sera.» Cette résolution, adoptée par le conseil municipal de Canton, dans le Mississippi, au milieu du

XVIIIᵉ siècle, porte sur un exemple qu'on ne peut ni comprendre ni mettre en œuvre: «Numéro un: Ce conseil a décidé que nous construirions une nouvelle prison. Numéro deux: Il a été décidé que cette nouvelle prison serait bâtie à partir des matériaux de l'ancienne. Nous avons décidé que l'ancienne prison serait utilisée jusqu'à ce que la nouvelle soit achevée.»

De bien des façons, une communication efficace commence par un respect mutuel. Une communication qui inspire, encourage, ou qui enseigne aux autres à faire de leur mieux. Si vous respectez les gens, vous ne serez jamais grossier avec eux. Par conséquent, en les traitant avec respect, vous obtenez leur coopération, qu'ils vous accordent avec enthousiasme plutôt qu'à contrecœur. Des individus respectés travailleront plus dur afin d'accomplir des performances maximums, tout en voulant toujours en faire davantage.

Si les gens vous apprécient comme patron, ils travailleront plus dur. S'ils ne vous apprécient pas, ils travailleront simplement pour conserver leurs emplois, mais ils ne fourniront pas vraiment tout l'effort dont ils sont capables. Il arrive que des gens accomplissent convenablement leur travail parce que leur sens du devoir et de la responsabilité exige qu'ils s'acquittent le mieux possible de leurs tâches. Mais l'appréciation et les encouragements rendent les gens capables d'accomplir magnifiquement leur travail. Quand vous faites savoir aux gens que vous les appréciez et les respectez sincèrement, et que vous donnez suite à ces paroles en agissant conformément à ce sentiment, vous établissez alors avec eux des liens et un rapport de confiance qui pourront changer bien des choses.

La communication n'est pas nécessairement une technique facile à apprendre, mais elle commence vraiment par l'écoute attentive de ce que l'autre personne dit. En écoutant avec respect, vous apprendrez des choses qui peuvent faire toute une différence. Il en résultera de l'uniformité, et une performance uniforme est la clé de l'excellence. Adoptez ces concepts et mettez-les en pratique.

Mon patron est un homme de parole mais celle-ci ne vaut pas cher.

Avancer dans la vie

Il existe une grande différence entre un homme sage et un individu astucieux.

Quelqu'un a déclaré avec raison que si vous embauchez des gens plus astucieux que vous-même, vous prouvez ainsi que vous l'êtes davantage qu'eux. Nous pouvons appliquer cette idée dans tous les secteurs d'activités. Un directeur des ventes devrait s'efforcer d'engager avec soin des vendeurs qui excellent plus que lui dans le domaine de la vente. De cette façon, ils pourront partager ensemble des informations, et tous seront alors encore plus efficaces. De plus, en continuant d'apprendre des choses de chacun de ses vendeurs, le directeur demeurera un pas en avance sur eux. La même chose s'applique chez les entraîneurs. Un bon entraîneur en chef recherche des assistants qui en savent plus que lui dans leur spécialité commune, et il apprend d'eux. Il en va de même pour les directeurs du secteur industriel, du domaine de l'ingénierie, de l'architecture, et des autres secteurs.

Il y a plusieurs années, Lawrence Welk engagea un accordéoniste du nom de Myron Floren. Il était considéré comme le meilleur de sa profession. Quand monsieur Welk annonça ce qu'il avait fait à son directeur commercial, ce dernier devint furieux. Il était persuadé qu'un seul accordéon dans l'orchestre suffisait amplement. Monsieur Welk esquissa un sourire et dit que cette embauche était ferme. Le premier soir où le directeur commercial entendit Myron Floren jouer dans l'orchestre avec Lawrence Welk, il dit à monsieur Welk que le nouvel accordéoniste était meilleur que lui. Lawrence Welk sourit et fit la confidence suivante: «C'est la seule catégorie de musiciens que j'engage.»

C'est la meilleure façon d'obtenir du succès. Cela aide également à expliquer une des raisons pour lesquelles monsieur Welk et sa «Musique champagne» ont séduit quatre générations de mélomanes. La recherche de l'excellence et l'engagement à offrir aux clients le meilleur produit possible sont les principales composantes d'une réussite à long terme.

Nous apprenons et tirons tous avantage des connaissances et du talent des autres. Ne vous laissez pas intimider par quelqu'un qui possède un curriculum vitae comptant plus de réussites que le vôtre, et ne vous croyez pas supérieur à une autre personne ayant connu moins de succès que vous. Apprenez de l'un et de l'autre.

Le patron lut les notes déposées dans la boîte à idées et se plaignit du fait qu'il aurait souhaité que les employés soient un peu plus explicites.
«Quel genre de cerf-volant? Quel lac?»
(American Legion Magazine)

Comment terminer en beauté

Un effort total, entièrement consacré à la quête d'un noble idéal, est la clef qui mène aux performances maximums.

Il y a quelques années, mon épouse et moi sommes allés voir la comédie musicale *Crazy for You* (Fou de toi). Au cours de cette charmante performance, j'ai noté plusieurs principes essentiels que toute personne en quête d'une vie heureuse et couronnée de succès devrait mettre en pratique. Premièrement, les 28 membres de la distribution se donnèrent totalement du début jusqu'à la fin du spectacle. Deuxièmement, l'enthousiasme de chaque interprète était manifeste. Troisièmement, peu importe l'importance de son rôle, chaque artiste déploya 100 pour cent de son talent. Quatrièmement, l'engagement de chacun à faire de son mieux était à la fois évident et inspirant. Cinquièmement, ils s'encourageaient les uns les autres par des sourires et le langage du corps.

Sixièmement, leur esprit d'équipe, incluant le travail des machinistes lors des changements de scènes, fut absolument phénoménal. Septièmement, l'assurance et la confiance qu'ils partageaient entre eux étaient admirables. Par exemple: À un moment donné, certains interprètes tombaient à la renverse en bas d'une plate-forme dans les bras rassurants de leurs camarades, sans même se retourner pour voir si quelqu'un était là pour les saisir au vol. Huitièmement, le rythme de leur débit était tout à fait remarquable. Neuvièmement, ils prenaient plaisir à interpréter cette comédie musicale. Dixièmement, il était évident qu'ils s'étaient longuement préparés. Onzièmement, l'enthousiasme de leur jeu accrut notre plaisir à les regarder.

Pour paraphraser Will Rogers, je dirais que les interprètes savaient ce qu'ils faisaient, croyaient en ce qu'ils faisaient, et aimaient ce qu'ils faisaient. J'irais même encore plus loin en disant qu'ils éprouvaient de la passion pour ce qu'ils faisaient, et cela se voyait.

Les éléments responsables de la réussite du spectacle sont les mêmes qui peuvent couronner une vie de succès. Dans un spectacle, ils se résument à la compétence et au professionnalisme. Si nous intégrons ces éléments à notre vie quotidienne, notre productivité augmentera d'une façon spectaculaire, notre avenir sera infiniment plus brillant, la sécurité d'emploi sera considérablement améliorée, et tout ira pour le mieux dans le meilleur des mondes. Je vous exhorte à entreprendre ces démarches car elles vous mèneront jusqu'en haut de l'échelle, là où se trouve la véritable réussite équilibrée.

Le jeune avocat dit à son associé: «Je sens que je devrais de nouveau dire à ce juge quand prendre congé.» «Qu'entends-tu par «de nouveau»?» «Eh bien», répliqua le jeune avocat, «c'est aussi ce que j'ai ressenti la semaine dernière.»

Aidez les autres en vous aidant vous-même

Le Christ a dit: «Que celui qui veut être le plus grand parmi vous doit d'abord devenir le serviteur de tous.»

Quelqu'un fit la remarque suivante: une personne entièrement préoccupée par elle-même voit son monde se rapetisser jusqu'au jour où il ne contient plus qu'un seul être malheureux. Pensez-y un instant. Avez-vous déjà connu une personne égocentrique vraiment heureuse?

J'aime cette histoire, souvent racontée, à propos de cet homme faisant des randonnées à pied dans les montagnes. Il fut surpris par une soudaine tempête de neige et perdit rapidement sa route. Il savait qu'il devait se trouver un abri le plus tôt possible, sinon il mourrait de froid. Malgré tous ses efforts, ses mains et ses pieds devinrent bientôt engourdis. Au cours de ses pérégrinations, il trébucha littéralement sur un autre homme qui était presque complètement gelé. Le marcheur se devait de prendre une décision: allait-il aider l'homme ou allait-il continuer dans l'espoir de se sauver lui-même?

Il prit rapidement une décision et enleva ses gants trempés. Il s'agenouilla près de l'homme et commença à masser ses bras et ses jambes. Après l'avoir massé pendant quelques minutes, l'homme se mit à réagir et fut bientôt capable de se remettre debout. Les deux hommes ensemble, se soutenant un l'autre, trouvèrent finalement de l'aide. Plus tard, on informa le marcheur qu'en aidant quelqu'un d'autre, il s'était aidé lui-même. Son engourdissement disparut tandis qu'il massait les bras et les jambes de l'étranger. Son activité accrue avait augmenté sa circulation sanguine et transmis de la chaleur à ses mains et ses pieds.

Il est ironique mais nullement surprenant de constater qu'il résolut son propre problème après avoir fait fi de lui-même et de sa situation fâcheuse, et s'être concentré sur quelqu'un d'autre. Je suis convaincu que la seule façon d'atteindre les cimes des montagnes de la vie est d'oublier son intérêt personnel et d'aider les autres à atteindre des sommets encore plus élevés.

«Les statistiques sont parfois bien étranges et nous laissent songeurs: Nous avons rencontré 200 personnes dont le pare-chocs avait été heurté de plein fouet dans des parcs de stationnement, pourtant, nous n'avons rencontré personne ayant heurté le pare-chocs d'un autre.»
(Bill Vaughn)

Les amis

Personne ne peut dire qu'il a assez d'amis pour pouvoir se permettre d'en perdre ne serait-ce qu'un seul.

John Cherten Collins déclara un jour: «En période de prospérité, nos amis nous connaissent. Dans l'adversité, nous connaissons nos amis.» Le *Dictionnaire Noah Webster de 1828* dit qu'un *ami* est «celui qui est attaché à un autre par l'affection; celui qui nourrit pour un autre des sentiments d'estime, de respect et d'affection, ce qui le porte à désirer la compagnie de l'autre et de chercher à promouvoir son bonheur et sa prospérité». En d'autres mots, un ami est un être intéressé à faire quelque chose pour une autre personne. Un ami est un compagnon qui chemine avec vous dans la vie et qui vous voit d'un œil favorable et bienveillant. On utilise même le mot ami en guise de salutation: «Bonjour, cher ami».

Je suis pleinement d'accord avec l'affirmation suivante: À la fin de notre vie, si nous pouvons compter sur au moins deux êtres, de véritables amis, disposés à tout faire pour nous sans aucune hésitation, des êtres à notre écoute quand nous avons de la peine ou besoin d'aide, nous aurons vraiment de la chance. Nous pouvons parler avec des amis de toutes les facettes de la vie: nos joies, nos tentatives, nos triomphes, nos tragédies, nos espoirs, nos attentes et nos besoins. Nous pouvons sans aucune crainte leur révéler nos points faibles, sachant bien qu'ils penseront et agiront toujours au mieux de nos intérêts. Joseph Addison soutenait que: «L'amitié grandit le bonheur et adoucit la misère en doublant notre joie et en scindant notre chagrin.» Robert Hall affirmait: «Celui qui a fait la connaissance d'un ami judicieux et compréhensif double par le fait même ses ressources mentales.»

Vu que les amis et les amitiés sont si précieux, comment pouvez-vous vous en faire d'autres? Si vous errez dans la vie à la recherche d'amis, vous aurez de la difficulté à en trouver. Si vous déambulez dans la vie en vous efforçant vous-même d'être un ami, vous en trouverez partout. Samuel Johnson disait: «Si un homme ne rencontre pas de nouvelles connaissances tout au long de sa vie, il se retrouvera très vite seul. Un homme devrait toujours entretenir ses amitiés.» Suivez ce conseil, et vous serez rarement solitaire.

Le représentant de l'État d'Illinois, Ellis Levin, posta une lettre pour une collecte de fonds, laquelle lettre soutenait qu'il avait obtenu une «mention spéciale» du Chicago Magazine. Il en avait effectivement obtenu une. Le magazine le surnommait l'un des «Dix Pires Législateurs» de l'État.

Elle traça la ligne

Si vous y croyez, si vous y croyez vraiment, vous persisterez.

Vous n'avez peut-être jamais entendu parler du docteure June McCarroll, pourtant elle fait vraiment partie de ces femmes qui ont marqué ce monde de leur empreinte. Née dans le Nebraska, elle était médecin généraliste en Californie. Il est intéressant de souligner que l'événement le plus notoire qu'elle ait accompli au cours de sa vie se produisit en dehors du monde médical. Un banal accident fut l'élément qui déclencha en elle une réflexion, en vue de rendre nos grandes voies de communication plus sécuritaires. Son automobile ayant été éraflée, elle décida de prendre des mesures concernant les automobilistes qui agissent comme si toute la route leur appartenait.

Un jour, tandis qu'elle roulait sur une route dont le centre était surélevé, elle remarqua que cette dénivellation aidait les automobilistes à demeurer sur leur côté de la route. Cela lui donna l'idée d'essayer de persuader le conseil municipal de «faire peindre une ligne dans le milieu de la route» pour guider les gens et «pour instruire la nation dans le domaine de la sécurité publique». Elle reçut la réponse bureaucratique typique à savoir que son idée était ingénieuse mais peu réaliste.

Cependant, le docteure McCarroll était une de ces personnes qui n'acceptent jamais un non pour toute réponse; elle proposa son idée au cercle local des femmes. Le vote de soutien concernant le projet fut unanime. Néanmoins, comme dit l'adage, certains esprits sont comme du béton, tout mélangés et figés de façon permanente. Elle continua d'affronter l'entêtement bureaucratique pendant sept longues années avant que son idée ne soit mise en pratique.

C.N. Hamilton était un loyal partisan local du concept du docteure McCarroll, et quand il devint membre de la Commission des routes de la Californie en 1924, il convainquit la commission d'approuver le tracé d'une ligne centrale expérimentale de 8 kilomètres de long sur la route 99. Une bande d'essai additionnelle fut également tracée. Les accidents diminuèrent de façon spectaculaire des deux côtés de la route 99 et, peu de temps après, tout l'État se glorifia d'utiliser les lignes du docteure McCarroll sur ses routes. Depuis lors, la plus grande partie du monde a donné suite à cette extraordinaire idée.

Message: Quand vous concevez une idée en laquelle vous croyez avec ferveur, accrochez-vous à cette idée, surtout si des gens que vous respectez croient que c'est une excellente idée. Courage, tenez bon, car une obstination polie et indulgente est souvent la clé qui ouvre la porte sur la réalisation d'un projet.

« Un optimiste est quelqu'un qui croit qu'une mouche domestique cherche une façon de sortir de la maison. »
(George Gene Nathan)

L'amour doit parfois dire non

> *« Oui, Dieu a tant aimé le monde qu'Il a donné son Fils unique, pour que tout homme qui croit en Lui ne périsse pas mais ait la vie éternelle. »*
> (Jean 3, 16)

Hannah Moore écrivit: «L'amour ne calcule jamais, il donne sans compter; il se donne entièrement comme un prodigue irréfléchi, et tremble ensuite de peur de ne pas en avoir fait assez.» Le docteur James Dobson observa avec justesse et sagesse que l'amour, sans ligne de conduite, n'inculque pas à un enfant la maîtrise de soi, l'autodiscipline, et le respect pour ses semblables. Il en résulte un enfant inadapté.

Le fait de croire que l'amour à lui seul suffit constitue une conception tragique et erronée du véritable amour. L'amour ne consiste pas à donner toujours aux autres ce qu'ils demandent; aimer, c'est agir face aux autres au mieux de leurs intérêts.

Cela me rappelle un des mes proches amis; à vrai dire, il est comme un frère pour moi, son nom est Bernie Lofchick, de Winnipeg, au Canada. Son fils, David, est né atteint de la paralysie cérébrale et vécut au début des périodes très difficiles.

Vers l'âge de 18 mois, Bernie et son épouse Élaine ont dû placer une armature orthopédique sur la jambe de David chaque soir. Le médecin leur conseilla de resserrer progressivement l'armature, ce qui occasionna une énorme souffrance. À plusieurs reprises, David supplia: «Sommes-nous obligés d'utiliser cette armature ce soir?» ou bien «Faut-il la mettre aussi serrée?» Mais Bernie et Élaine Lofchick aimaient tellement David qu'ils furent capables de dire non à ses larmes du moment afin de pouvoir dire oui au rire de tout le reste de sa vie.

Aujourd'hui, David est un homme d'affaires actif, bien portant, et couronné de succès en compagnie de son épouse et de trois merveilleux enfants. La réussite de David est le fruit d'un amour tellement profond que la famille Lofchick fut prête à faire ce qui convenait le mieux à David, et non pas ce que David voulait tout de suite.

Accordez-vous le temps d'y réfléchir. Faites que ce genre d'amour compte au suprême degré dans votre vie.

Certaines personnes sont comme des buvards:
elles s'imprègnent de tout mais elles le comprennent de travers.

Je te revaudrai ça

Votre parole, votre sourire et un cœur reconnaissant font partie de ces choses que vous pouvez donner et conserver quoi qu'il advienne.

« Un de ces jours je te revaudrai ça!», voilà une de ces affirmations que nous connaissons bien. Ou bien les gens menacent de le faire ou bien prennent-ils réellement leur revanche avec d'autres personnes. Le problème avec l'idée de prendre sa revanche, c'est que nous ne nous dépasserons jamais nous-même, ce que la plupart d'entre nous veulent faire.

J'aime cette histoire à propos de ce qui s'est produit lors de la chute du mur de Berlin. Un jour, un certain nombre de Berlinois de l'Est décidèrent d'envoyer à leurs adversaires de Berlin Ouest un petit «cadeau». Ils emplirent un camion d'ordures ménagères, de briques brisées, de pierres, de matériaux de construction, et de tout ce qui n'avait aucune valeur. Ils amenèrent le camion jusqu'à la frontière, obtinrent l'autorisation de passer, et déversèrent leur chargement du côté de Berlin Ouest.

Inutile de dire que les Berlinois de l'Ouest furent outrés et décidèrent de prendre leur revanche. Ils allaient leur faire payer ce qu'ils avaient fait. Heureusement, un homme très sage intervint et leur donna un tout autre conseil. Résultat, ils réagirent en remplissant un camion de nourriture (laquelle était peu abondante à Berlin Est), de vêtements (lesquels étaient également rares), de fournitures médicales (lesquelles se faisaient encore plus rarissimes), et une foule d'autres articles essentiels. Ils traversèrent la frontière avec le camion, le déchargèrent avec le plus grand soin, et laissèrent derrière eux une pancarte sur laquelle on pouvait lire: «Chacun donne selon sa capacité de donner.»

Les Berlinois de l'Ouest avaient adopté mot à mot la philosophie de Booker T. Washington: «Je ne permettrai à aucun être humain de limiter et de dégrader mon esprit en me forçant à le haïr.» La Bible affirme que, quand vous rendez le bien pour le mal, vous «amassez des charbons ardents sur la tête de quelqu'un». À l'époque biblique, le fait d'amasser des charbons ardents sur la tête d'un ennemi était un geste que le Seigneur récompensait. Il y a de quoi sourire quand on se demande ce que les Berlinois de l'Est ont ressenti, à part la gratitude qu'ils éprouvèrent pour les fournitures dont ils avaient tellement besoin. Je suis prêt à parier qu'ils furent, d'une façon ou d'une autre, embarrassés par leur propre attitude.

Petit message: Faites-leur du mal par excès de bonté. Ne rendez pas le mal pour le mal. Soyez plus magnanime que cela.

Mon fils de 6 ans vient tout juste d'avoir un chien; nous l'envoyons donc dans une école où on enseigne l'obéissance, et si cela se déroule bien, nous y enverrons le chien aussi.
(Vie de famille)

Ceci est une philosophie,
et non une tactique

*La peur – que ce soit la peur de tomber,
la peur d'échouer, ou la peur d'être découvert –
est un lourd fardeau à porter.*

Il m'arrive souvent de dire: «Vous pouvez tout obtenir dans la vie si vous aidez suffisamment d'autres gens à obtenir ce qu'ils veulent.» Voici une histoire qui confirme cette affirmation de manière à la fois intéressante et percutante.

Le docteur Bob Price de l'hôpital Tri-City me fit parvenir ce petit bijou: Aux États-Unis, l'une des plus grandes histoires de réussite, au cours de ce siècle, fut celle du pont Golden Gate.

Sa construction fut en grande partie financée par le comté de Marin et par la ville de San Francisco, qui sont les deux collectivités que le pont relia finalement. Dans le contexte de la construction du pont, il y avait deux autres «communautés». L'une était une collectivité d'hommes travaillant sur le pont, et l'autre collectivité était composée d'hommes qui attendaient que quelqu'un se fasse tuer afin d'obtenir un emploi.

Parfois leur attente n'était pas très longue lors de la première phase de la construction du pont Golden Gate. Aucun dispositif de sécurité n'était utilisé, et 23 hommes trouvèrent la mort en tombant du pont. Toutefois, pour la dernière phase du projet, on recourut à un immense filet qui coûta 100 000 dollars. Au moins 10 hommes tombèrent dedans, et leurs vies furent épargnées. Cependant, un aspect inattendu et intéressant de l'utilisation de ce filet fut que la cadence de travail augmenta de 25% quand les hommes furent assurés d'être en sécurité. L'accroissement de 25% au chapitre de la productivité compensa bien des fois le coût du filet de sécurité, sans compter les avantages que cela procura aux familles des travailleurs et aux hommes dont les vies furent sauvées.

Les deux collectivités furent gagnantes. Leur magnifique pont servit un admirable but, et elles l'obtinrent à un prix beaucoup moins élevé car elles aidèrent ces travailleurs à obtenir ce qu'ils voulaient – un emploi sécuritaire, en lieu sûr, et bien rémunéré. Prenez le temps d'y réfléchir. Adoptez cette philosophie.

Même sur le tremplin qui mène à la réussite,
il vous faut rebondir quelque peu.

« Je suis ce que je fais »

Soyez vous-même. Vous seriez un être pitoyable dans le rôle de n'importe qui d'autre, mais personne ne peut exceller autant que vous dans votre propre rôle.

Il y a plusieurs années, j'entendis parler d'une annonce publiée dans une revue sportive conseillant les chasseurs sur la façon de ne pas gaspiller leurs munitions. L'annonce disait: «Nous vous fournirons cette information pour la somme d'un dollar.» Plusieurs personnes firent parvenir leur dollar, et le conseil était le suivant: «N'utilisez qu'une seule balle.» Bien que l'annonce fut décevante – et je suis persuadé que plusieurs des gens qui y avaient répondu furent irrités d'avoir été roulés – le conseil en soi était bon.

Un exemple classique d'un être qui n'a pas gaspillé ses coups est Chris Schenkel. Monsieur Schenkel fut l'un des reporters sportifs à la carrière la plus longue de toute l'histoire. Pendant plus de quatre décennies, on l'a fréquemment surnommé «le bon gars des sports». Chris Schenkel ne joue pas la comédie quand on le compare à ce «bon gars» qui recherche ce qu'il y a de bon chez les autres. Malgré certaines critiques lui reprochant d'être trop prodigue de louanges, de ne pas être assez sévère, et de ne pas porter suffisamment de jugements catégoriques, Chris Schenkel déclare: «Je suis ce que je fais.»

Le rêve de Chris Schenkel de devenir une personnalité de la radio remonte aux années 30. Il écoutait des matchs de base-ball à la radio et étudiait le style des reporters. Son père lui acheta un des premiers magnétophones de l'époque. Chris enregistra les matchs et se pratiqua à imiter l'annonceur. Quand il fut étudiant de première année à l'université Purdue, Chris obtint un emploi d'été à la station de radio WLBC à Muncie, dans l'Indiana, au salaire de 18 $ par semaine. En 1952, il commença comme annonceur remplaçant lors des combats de boxe à la radio, sur le réseau ABC. Plus tard, il fut annonceur remplaçant à la télévision, pour les matchs de football des Giants de New York. Son but fut toujours de donner le meilleur de lui-même, en utilisant ses aptitudes et en restant lui-même.

Aujourd'hui, Chris Schenkel est l'une des personnalités de la télévision les plus respectées en Amérique, et il a atteint ce statut personnel prestigieux en comprenant qui il était, en concentrant ses efforts, et en ne gaspillant pas ses coups. Le message est clair: «Vous êtes ce que vous faites.»

Personne ne goûte plus parfaitement la valeur d'une critique constructive que celui qui la fait.

Un chef d'entreprise âgé de dix ans

> *Les idées ne tiennent pas compte de l'âge, du sexe,
> de la race, de la religion, ou de la couleur
> de celui qui les a, ou de ce qu'il en fait.*

Marc Wright est un protagoniste expérimenté dans le monde de la libre entreprise et des perspectives d'avenir. Il est le président de l'entreprise Kiddie Card et l'un des plus jeunes entrepreneurs au Canada. Marc lança son affaire quand il n'avait que six ans après avoir écouté quelques cassettes de motivation. À la suite d'une visite dans un musée d'art, Marc eut l'idée de faire quelques dessins pour voir s'il en arriverait ainsi à gagner un peu d'argent. Sa mère lui suggéra de faire mettre ses dessins sur des cartes, et de les vendre. Il obtint un succès instantané grâce à un concept tout à fait unique.

Quand il frappe à une porte (soit dit en passant, sa mère l'accompagne), il débite son bref mais efficace boniment. Il se présente lui-même: «Bonjour, mon nom est Marc et je suis gelé. Je vends des cartes de souhaits. Combien voudriez-vous en acheter? En voici tout un assortiment. Choisissez seulement celles qui vous plaisent et donnez-moi le montant qui vous convient. Ses cartes sont dessinées à la main sur du papier rose, vert, et blanc. Elles représentent les quatre saisons, et Marc vend ses cartes sur une période d'environ trois jours par semaine, de six à sept heures par jour. Il calcule que chaque carte lui rapporte en moyenne 75 cents, et il en vend environ 25 en l'espace d'une heure.

Marc se rendit compte rapidement qu'il aurait besoin d'aide; il s'est donc entouré de dix collaborateurs, principalement des artistes qui dessinent les cartes. Il leur paie 25 cents pour chaque dessin original. Il a également étendu ses opérations à la vente par correspondance, et il semble devenir de plus en plus occupé. Au cours de sa première année en affaires, Marc a gagné 3 000 $, juste assez pour emmener sa mère en voyage à Disney World.

Vers l'âge de 10 ans, Marc était devenu une sorte de célébrité dans les médias. Il passa à la télévision à l'émission *Late Night* avec David Letterman et accorda une interview à Conan O'Brien.

Marc eut une idée, ne tint pas compte de son âge, reçut de l'encouragement de la part de sa mère, et se lança en affaires. Question: Avez-vous une idée commercialisable? Si tel est le cas, prenez les mesures qui s'imposent!

Un consommateur s'adressant à un réparateur de téléviseurs: «Elle s'éteint d'elle-même tellement souvent que j'en suis venu à l'appeler «la vieille qui n'en finit plus de s'éteindre.»
(Bob Thaves, Newspaper Enterprise Association)

Les bonnes manières importent

«La gratitude est la plus saine de toutes les émotions humaines.»
Hans Selye

*A*ujourd'hui, nous ne mettons pas assez souvent en pratique les bonnes manières. Cependant, le fait d'avoir de bonnes manières, tout en sachant exprimer sa gratitude, constitue un grand avantage. Quand nous négligeons d'exiger que nos enfants disent «merci» quand quelqu'un leur donne un présent, leur dit un mot gentil, ou fait quelque chose pour eux, nous élevons alors des enfants peu reconnaissants qui risquent fort d'être malheureux. Sans la gratitude, le bonheur est une denrée rare. Avec cette dernière, les chances que le bonheur soit au rendez-vous augmentent de façon spectaculaire.

Un exemple classique de la validité de la gratitude mise en pratique est l'histoire de Roy Rogers. Après avoir été en vedette dans son premier film, il se mit à recevoir des tas de lettres de ses admirateurs auxquelles il voulut répondre. Toutefois, son salaire de 150 $ par semaine ne couvraient même pas le coût des tarifs postaux. Il parla au directeur de Republic Pictures dans l'espoir que le studio assume une partie du coût de ses lettres d'admirateurs. On le lui refusa de façon expéditive et on lui dit qu'il était fou de penser répondre aux lettres des admirateurs car personne d'autre ne le faisait. Cela nécessitait trop de temps et d'argent.

Roy Rogers, un de ces véritables «bons gars» dans la vie, ne pouvait pas accepter cette explication. Il était convaincu que si quelqu'un pensait suffisamment à lui pour lui écrire une lettre, il se devait d'avoir lui-même assez de respect face à cette personne pour répondre à sa lettre. Heureusement, le film qui lui avait occasionné ce «problème» le rendit aussi tellement populaire qu'il put organiser une tournée dont il était la vedette. Il parcourut bien des kilomètres et offrit des représentations d'un seul soir à plusieurs endroits afin de réunir l'argent pour payer les salaires des quatre personnes requises pour répondre à ses lettres d'admirateurs.

Par suite d'avoir répondu à chacune des lettres d'admirateurs, il se construisit un bassin d'admirateurs qui lui restèrent fidèles et le demeurent encore plusieurs années plus tard. Oui, les «bons gars» et les «bonnes filles» finissent vraiment par gagner. Par conséquent, adoptez de bonnes manières, respectez les autres, et soyez reconnaissant de ce que vous avez.

———————————

Je n'ai rien contre le fait que mon fils gagne plus d'argent que moi j'en gagnais lors de mon premier emploi. Ce qui me dérange c'est qu'il n'a que six ans et que c'est son argent de poche.

La route vers le bonheur

Les choses qui comptent le plus dans la vie sont celles qui n'ont pas de prix.

Il y a plusieurs années, j'ai entendu l'affirmation suivante: «Le bonheur n'est pas un plaisir, c'est une victoire.» Il y a beaucoup de vrai dans cet énoncé.

On peut présumer sans risque de se tromper que le bonheur est quelque chose que tous veulent obtenir. Il est vrai que d'autres gens peuvent vous faire plaisir, mais vous ne serez jamais heureux tant et aussi longtemps que vous n'accomplirez pas des choses pour d'autres personnes. Rien n'apporte plus de joie et de bonheur que d'accomplir pour d'autres des gestes qui augmentent leur plaisir de vivre. Soit dit en passant, le bonheur n'est pas quelque chose que vous pouvez acheter avec de l'argent, mais il est vrai qu'un montant d'argent suffisant aide à éliminer certaines choses qui entraînent un manque de confort.

Des études révèlent que les gens, absorbés par des tâches qu'ils trouvent stimulantes et auxquelles ils prennent plaisir, ont déjà un pas d'avance sur la route du bonheur. Les chercheurs ont depuis longtemps prouvé que les gens (particulièrement les hommes) qui se sont mariés sont plus heureux et vivent plus longtemps. Les personnes qui suivent régulièrement un programme d'exercices, se gardant ainsi en forme physiquement, en particulier d'un point de vue de l'aérobic, sont plus heureux.

Un article paru dans *Psychology Today* affirme explicitement qu'une des façons d'être heureux est de «prendre soin de son âme». L'article fait remarquer que les gens qui pratiquent activement leur religion ont tendance à être plus heureux et à mieux faire face aux périodes de crise. La foi procure un soutien à une communauté, un sens à la vie, une raison de se concentrer sur autre chose que soi-même, et une perspective intemporelle sur les hauts et les bas temporaires de la vie.

Une étude menée par David Jensen à l'université UCLA, englobant un large éventail de gens de tous les milieux, arriva à la conclusion que les gens qui se fixent des objectifs et développent un plan d'action pour les atteindre sont plus heureux et en santé, gagnent considérablement plus d'argent, et s'entendent mieux dans leur milieu familial que les personnes qui n'ont pas clairement défini leurs objectifs. Prenez en considération ce «facteur bonheur» quand vous fixerez vos objectifs.

Un jeune cadre à un ami: «Mon patron et moi ne nous disputons jamais.
Il s'engage dans une voie et j'emprunte la même route.»
(Cincinnati Enquirer)

La vie est comme une meule à aiguiser

«Sages sont ceux-là qui ont appris les vérités suivantes: les problèmes sont temporaires, le temps est un reconstituant, et la souffrance est une école.»
William Arthur Ward

J e crois que ce titre est bien choisi. La vie est vraiment semblable à une meule à aiguiser: ou bien elle vous pulvérise en mille morceaux, ou bien elle parfait votre éducation et affine vos manières. Il semble que certaines personnes se soient remises très vite d'un désastre, d'une défaite, et de pratiquement toutes les formes imaginables de difficultés. Iyanla Vanzant en est une preuve vivante. D'après un article

95

paru dans le *Dallas Morning News* du 28 juin 1995, Iyanla fut violée alors qu'elle n'avait que 9 ans. Elle eut un enfant à l'âge de 16 ans et fit une dépression nerveuse à l'âge de 22 ans. Elle vécut pendant 11 ans de la sécurité sociale.

Sa volonté de gagner et de s'accrocher à la vie, alliée à son esprit de sacrifice, sa persévérance, et sa foi, ont propulsé Iyanla jusqu'au sommet. Elle décrocha un diplôme en droit et devint avocate de la défense au criminel. Et ce n'est pas tout, elle est aussi une auteure, une présentatrice d'émissions à la radio et à la télévision, et conférencière dans le domaine de la motivation. Son message universel semble puiser dans la spiritualité de nos grands-mères. Elle est la preuve vivante que ce qui est important n'est pas votre point de départ ou même ce qui vous arrive en cours de route, mais bien de persévérer et de ne jamais vous laisser tomber vous-même.

Elle est une personne enthousiaste, optimiste, et passionnée qui prend grand plaisir à persuader les autres qu'eux aussi peuvent recoller les morceaux de toute une vie et accomplir de grandes choses, peu importent les affres de leur passé. Elle le sait très bien et le dit aux autres à quel point ce n'est pas facile, mais elle croit que cela peut se faire. J'aimerais ajouter que je partage cette même conviction. Prenez donc votre courage à deux mains, allez travailler en adoptant la bonne attitude, tenez bon, et attendez-vous à ce que d'excellentes choses en résultent.

Au guichet des infractions au code de la route de notre palais de justice, un homme était manifestement contrarié au moment de régler son amende. Quand le commis lui remit un reçu, il dit en grognant: «Qu'est-ce que je fais avec ça?» «Conservez-le», dit le commis avec entrain. «Quand vous en accumulez dix comme celui-ci, vous obtenez une bicyclette.»
(M. Dwight Bell)

On recherche un ami de plus

> **« La vie est une entreprise excitante, et elle l'est d'autant plus quand on la vit pour les autres. »**
> Helen Keller

*Q*uelqu'un faisait remarquer qu'un étranger est tout simplement un ami que vous n'avez pas rencontré. Mon fidèle *Dictionnaire Noah Webster 1828* dit qu'un ami est celui qui est lié à un autre par l'affection, ce qui l'amène à désirer sa présence, ou bien c'est quelqu'un qui possède un intérêt suffisant pour servir une autre personne. La définition du dictionnaire décrit amplement Mike Corbett qui, en compagnie de son ami Mark Wellman, le 19 juillet 1989, prirent d'assaut El Capitan. El Capitan est un mur de roc abrupt situé à 1090 mètres du sol à Yosemite Valley dans le nord de la Californie. C'est une des montagnes les plus difficiles à escalader pour des alpinistes. Le degré de difficulté et de dangerosité est suffisant pour mettre à l'épreuve la force et le courage de l'élite des alpinistes de ce monde.

Mark Wellman et Mike Corbett ont atteint le sommet en l'espace de 7 jours. Ils affrontèrent des températures grimpant jusqu'à 41 °C et des coups de vent qui rendirent l'ascension encore plus difficile. Quand ils atteignirent le sommet, Mike Corbett ressentit un grand sentiment de triomphe alors que Mark Wellman demeura assis. Mark Wellman est la première personne à escalader El Capitan sans l'usage de ses jambes.

Mark Wellman avait abandonné l'escalade en 1982 après avoir paralysé à la suite d'une chute. À partir de cet instant, la seule escalade qu'il fit jamais fut dans ses rêves. Puis, Mike Corbett le convainquit qu'ils pouvaient grimper la montagne ensemble. Mark Wellman n'aurait certainement pas pu y parvenir sans Mike, lequel grimpa en premier et aida Mark à chaque étape de l'ascension. Il est possible que le sommet de l'amitié et du courage fut atteint le septième jour quand Mike s'avéra incapable d'enfoncer les pitons dans du roc trop friable en bordure du sommet. Sachant qu'un faux pas les enverrait tout droit à la mort, Mike hissa Mark Wellman sur son dos et gravit péniblement le reste de la distance à parcourir jusqu'au sommet.

Un vieil adage des plus vrais affirme ce qui suit: Si vous désirez un ami, soyez vous-même un ami. Je vous encourage à en être un comme MiKe Corbett le fut pour Mark Wellman.

« *Le secret d'une bonne gestion est de tenir les employés qui vous détestent aussi loin que possible de ceux-là qui sont encore indécis.* »
(Casey Stengel)

Mon personnage le plus inoubliable

Aime tes ennemis, car sans eux, tu n'aurais probablement que toi seul à blâmer.

Il y a bientôt 40 ans, on publiait dans *Sélections du Reader's Digest*, l'histoire d'Eartha White. Fille d'un ancien esclave, elle mesurait 1,35 mètre. Elle croyait que le fait de «servir est le prix à payer pour mériter d'habiter l'espace que nous occupons sur cette planète». Elle vivait selon le principe que chacun de nous doit faire tout le bien qu'il peut, où qu'il soit, de toutes les manières possibles, pour le maximum de gens, chaque fois que c'est réalisable.

Mademoiselle White a renoncé à une carrière prometteuse dans le domaine de l'opéra afin d'aider sa mère à essayer d'améliorer le sort des gens fréquentant la soupe populaire de cette dernière. Elle a enseigné pendant 16 ans avant d'investir ses maigres économies dans l'ouverture d'un magasin s'adressant surtout à une clientèle afro-américaine.

Elle a ouvert par la suite une blanchisserie, une agence de placement, une société immobilière, et une compagnie d'assurance. Elle amassa une fortune de plus d'un million de dollars dont la plus grande partie fut réinvestie dans des projets qui firent de cette femme, à elle seule, un véritable petit ministère de l'assistance sociale.

Elle consacra sa vie à aider les gens. Elle tendait les bras et relevait ceux qui avaient bien plus besoin d'aide que d'une aumône. Elle fonda un refuge pour les sans-abri et une infirmerie pour les plus démunis. Dans une autre maison, elle s'occupa de mères célibataires tandis que sous un autre toit, des alcooliques redevinrent sobres grâce à ses soins. Elle donna des immeubles afin qu'on y aménage deux garderies, et elle fit transformer un ancien cinéma en un centre récréatif pour les jeunes des quartiers pauvres. Sa foi profonde l'amenait à citer l'évangile selon saint Jean (Jean 15, 7): «Si vous demeurez en moi et que mes paroles demeurent en vous, demandez ce que vous voudrez et vous l'aurez.»

Eartha White travailla dur, vécut sa vie sous le signe de l'espérance, et elle mourut comblée. Si chacun de nous accomplissait ne serait-ce qu'une fraction de ce qu'elle a construit, il en résulterait pour notre société une contribution des plus importantes. Nulle joie n'est comparable à celle de se donner et de se dévouer pour les autres. Agissez dès maintenant! Suivez l'exemple d'Eartha White, et votre ascension vers le sommet se fera sans anicroche!

Au début de la file d'attente du service, lors d'un pique-nique organisé par notre église, un panneau disposé devant des pommes indiquait: «N'en prenez qu'une car Dieu vous surveille!» À l'extrémité de la même file, on pouvait lire sur un petit panneau placé près des biscuits: «Prenez-en à volonté, Dieu est occupé à surveiller les pommes!»

Ce n'est pas votre point de départ qui compte mais votre destination

Le génie engendre des idées et des concepts fabuleux.
Le travail acharné en détermine les résultats.

Dave Longaberger acheva ses études secondaires à l'âge de 20 ans. Il avait auparavant redoublé sa première année et avait dû reprendre sa cinquième à trois reprises avant de passer en sixième. Il parvint finalement à lire en huitième année malgré des bégaiements et des crises d'épilepsie. En 1996, son entreprise, la Longaberger Company, vendit pour plus de 525 millions de dollars de poteries, de paniers faits à la main, de tissus, et autres articles servant à la décoration intérieure, grâce à 36 000 conseillers indépendants dans le domaine de la vente à travers le pays. Quels sont donc les éléments qui contribuèrent à cette réussite?

Dave possède plusieurs atouts dans son jeu et il est animé de l'esprit d'entreprise. Dans sa prime jeunesse, il occupa tellement d'emplois que sa famille le surnomma le «millionnaire du 25 sous». Il sut tirer plusieurs leçons importantes de ces nombreux emplois. Employé d'épicerie à l'âge de 7 ans, il apprit que la meilleure façon de plaire à son patron était de découvrir ce que ce dernier voulait, et de s'acquitter de cette tâche. Il observa ensuite les gens et apprit bien des choses sur eux dans chaque emploi qu'il occupa. Par exemple, il se rendit compte que quand il appréciait un emploi, il travaillait mieux car il prenait plaisir à son travail. Plus les gens avec qui il faisait affaire l'estimaient, et plus il y avait de chances qu'ils continuent de traiter avec lui.

Dans l'armée, il dut se familiariser avec l'uniformité, l'autorité, la logique, et le quartier général. Il apprit également comment devenir un preneur de risques, et non pas un spéculateur. Par exemple, il ouvrit un petit restaurant avec peu d'argent. Le jour de l'ouverture, il utilisa les 135 $ qu'il lui restait pour acheter les vivres nécessaires à la préparation du petit-déjeuner. Après ce repas, il eut suffisamment d'argent pour se procurer les victuailles pour le lunch, puis, il utilisa les profits générés par le lunch afin d'acheter les denrées pour le dîner. C'est ce qu'on appelle se lancer en affaires dans le plus grand dénuement!

Dave acheta par la suite une épicerie qu'il géra avec grand succès. Il mijotait toujours des projets plus grands et meilleurs. Son optimisme, sa patience, et son dur labeur lui permirent de surmonter bien des difficultés. Nous pouvons tous tirer des leçons de ce que Dave a appris sur la voie du succès. (Pour en savoir davantage sur la Longaberger Company, veuillez surfer sur l'Internet à l'adresse électronique suivante: www.longaberger.com.).

N'oubliez pas que certains d'entre nous apprennent à partir des erreurs des autres gens; et ces derniers représentent nécessairement le reste d'entre nous.

Un simple incident peut nous transformer pour toujours

Notre but dans la vie devrait être de pouvoir compter les uns sur les autres, et non pas de chercher à pénétrer les intentions des uns et des autres.

Au siècle dernier, deux jeunes garçons vivaient dans le même quartier; l'un était riche et l'autre pauvre. Le premier vivait dans une belle maison, portait de beaux vêtements, et mangeait des aliments sains et délicieux en abondance. Le deuxième habitait un taudis, portait des haillons et n'avait pas grand-chose à manger. Un jour, ils se bagarrèrent, et le garçon riche gagna. L'enfant pauvre se releva, balaya la poussière de ses vêtements, et dit au garçon riche qu'il aurait été vainqueur s'il avait été aussi bien nourri que lui. Puis, il lui tourna le dos et s'en alla. L'enfant riche resta là sans bouger. Les mots que l'enfant pauvre venait de prononcer l'avaient pétrifié sur place. Son cœur était brisé car il savait bien que c'était vrai.

L'enfant riche fut marqué à jamais par cette expérience. À partir de ce jour, il refusa tout privilège découlant de sa fortune. Il se fit un devoir de porter des vêtements bon marché; il endura exprès les mêmes privations que les plus démunis. Sa famille fut souvent embarrassée par sa façon de s'habiller et, malgré les pressions de celle-ci, le jeune garçon ne tira plus jamais avantage de sa richesse.

L'Histoire n'a pas retenu le nom de celui qui était pauvre; quant au garçon riche, il développa une telle compassion envers les plus démunis qu'il leur consacra toute sa vie. L'Histoire se souvient de lui. Il mit sa vie au service des autres et devint un médecin reconnu internationalement, œuvrant en Afrique. Il s'appelait Albert Schweitzer.

Je ne dis pas que nous devrions tous être aussi désintéressés qu'Albert Schweitzer, mais je crois que nous avons besoin d'être davantage au diapason des idées et des sentiments des autres. Bien peu de gens ont eu sur notre monde autant d'impact qu'Albert Schweitzer. Et moins nombreux sont-ils encore ceux qui ont donné autant de sujets de satisfaction à la vie que lui.

L'optimiste est celui qui utilise ses derniers dollars pour s'acheter une ceinture à porte-monnaie.

Improbable, impossible, et ça ne peut arriver

Réglez votre journée sur l'horloge, votre vie sur une vision, et vous vous attirerez de bien belles choses.

Il entreprit sa carrière dans le Senior PGA Tour avec des chaussures de tennis et des pantalons à deux dollars. Sans gants, il transportait un sac de golf d'une valeur de 20 $, muni d'un ensemble de bâtons à 70 $. C'est un homme plutôt ventru qui porte de longs favoris. Il joue en adoptant une posture où ses jambes sont très écartées, et où la prise de sa main droite sur le bâton est solide. Il garde les mains hautes et éloignées de son corps, et il exécute un élan aux trois quarts environ. (Ce n'est pas de cette façon que les pros de la PGA enseignent le golf).

Je viens de vous décrire la toute dernière recrue du Senior PGA Tour. Robert Landers, à l'âge de 50 ans, est sûrement le candidat dont la participation, au prestigieux tournoi des professionnels en tournée du Senior PGA, était des plus improbables. Un scénariste de film n'aurait jamais pu vendre cette idée-là à Hollywood. Robert commença à jouer à l'âge de 22 ans et participa à son premier tournoi à 28 ans. Entre 1983 et 1991, des problèmes de dos l'ont empêché de jouer ou de pratiquer son sport préféré. Depuis lors, il n'a joué en moyenne qu'une fois par semaine. Il a tout appris tout seul; il n'a jamais lu un livre traitant du golf ou pris de leçons.

Ce golfeur eut sa part de succès et d'échecs. Le magasin où il travaillait, au salaire annuel de 18 000 $, fit faillite et il perdit son emploi. Il réussit à joindre les deux bouts en coupant et en vendant du bois de chauffage, ce qui l'aida à fortifier les muscles de ses mains. Il possède une petite ferme où il s'entraîne à frapper des balles de golf par-dessus sa grange et ses vaches. Il se fit rembourser 4 000 $ de son régime enregistré d'épargne-retraite de 10 000 $ pour se rendre en Floride afin de se qualifier pour le tournoi. Fait étonnant, il y est parvenu!

Le message est le suivant: Robert Landers poursuivait un rêve des plus improbables. Il s'engagea à foncer et à tirer avantage de toutes les occasions de s'entraîner et de se préparer à relever ce grand défi. Il échappa au syndrome du «pauvre de moi» et tira plutôt parti de son habileté naturelle et de son attitude de gagnant. Qui sait? il se peut qu'une telle démarche vous convienne parfaitement dans la poursuite de votre propre rêve.

«L'adolescence est une période de changements rapides. Entre 12 et 17 ans, un jeune peut nous faire vieillir de 30 ans!»
(Sam Levenson)

De longues heures de travail garantissent-elles plus de profits et de productivité?

Abattez votre besogne sans faire preuve de mauvaise volonté.

Oui et non. Dans un article du *Wall Street Journal*, le psychologue d'entreprise John Kamp a dit: «Chacun possède ses propres limites. Mais il existe pour chaque personne un seuil critique à partir duquel les heures supplémentaires provoquent une baisse dans la qualité du travail et un accroissement du stress.» Il semble exister un rapport étroit entre la productivité additionnelle qu'entraînent les heures

SOURIEZ À LA VIE

supplémentaires et la baisse de qualité et de créativité dans le produit fini, attribuable à ces mêmes heures supplémentaires.

Par ailleurs, selon un article paru dans le *USA Today*, les problèmes conjugaux sont la cause principale de la chute de productivité en Amérique. Dans le cas de beaucoup de travailleurs, il semble vraisemblable que le fait de travailler de longues heures dans le but d'être plus productifs nuise à la fois à leur productivité et à leur mariage. Les gens qui travaillent beaucoup trop d'heures peuvent aussi perdre une bonne part de leur capacité à atteindre et à évaluer les objectifs de leurs employeurs. «Nous voulons nous assurer que nos employés comprennent de quelle façon leurs efforts globaux s'intègrent à l'ensemble de l'entreprise», nous dit Kirby Dyess, vice-présidente des ressources humaines chez Intel.

On s'inquiète aussi chez Intel du surmenage qui empiète sur la vie personnelle des employés. D'après des sondages menés au cours des dernières années, madame Dyess affirme que les employés d'*Intel* qui ont réussi à trouver un juste équilibre entre leurs obligations personnelles et leurs engagements professionnels, étaient davantage enclins à affirmer qu'ils pouvaient mieux supporter les pressions de la compétition (telle l'incertitude ou le changement) que ceux qui ont révélé que le travail régissait leurs vies.

Une étude interne souligne qu'il n'y a aucun rapport entre les heures travaillées et l'avancement chez *Intel*. L'éducation, l'expérience et les résultats importent davantage. Madame Dyess ajoute cependant qu'il est parfois de mise de travailler certaines heures supplémentaires. Maury Hanigan, consultante auprès d'entreprises new-yorkaises en ce qui a trait aux stratégies du personnel, dit que dans un nouvel emploi «vous devez investir, pendant au moins un an, tout le temps nécessaire pour atteindre votre vitesse de croisière et vous faire un nom».

Les leaders et les dirigeants avisés sont sensibles au fait que nos vies personnelle, familiale et professionnelle sont *toutes* importantes. La meilleure façon de réussir consiste à maintenir cet équilibre.

Certaines personnes ne craignent pas de s'endetter mais elles sont vraiment contrariées à l'idée d'affronter leurs créanciers.

La vache tout équipée

Les grandes réalisations s'accomplissent lentement. Rien n'est mené à bien en restant immobile.

*U*n jour, un fermier alla chez un concessionnaire d'automobiles pour acheter un modèle de série ne comportant aucune option, et il en ressortit pourtant avec toutes les options imaginables. Le modèle de série de 14 000 $ se transforma finalement en un véhicule plus luxueux d'une valeur de 22 000 $. Il aimait bien tous ces extras mais il avait franchement dépassé son budget. Quelques mois plus tard, il eut la chance de faire pencher, du moins partiellement, la balance à son avantage. Le vendeur d'automobiles se présenta un jour à sa ferme pour lui acheter une vache. Après avoir examiné avec soin le troupeau, il arrêta son choix sur une vache, et demanda: «Combien pour celle-là?»

Le fermier lui répliqua avec le sourire qu'il en demandait 395 $. Satisfait, le professionnel de la vente indiqua son intention d'acquérir la vache en question. Le fermier se rendit alors dans sa grange, régla quelques détails, sortit, et présenta au vendeur une facture totalisant 920,20 $. Inutile de vous dire que c'est avec une certaine émotion que le vendeur lui répliqua: «Mais ne m'aviez-vous pas dit que le prix de cette vache était de 395 $!»

Le fermier l'assura que c'était bien là le prix d'une vache dans le «modèle de série», mais que celle-ci était vendue tout équipée, munie d'une couverture à deux tons en cuir de vache pour un surplus de 95 $. Elle possédait aussi un estomac supplémentaire servant à accroître la capacité et la performance de la dite vache, lequel coûtait 110 $. Le prix du chasse-mouches inclus dans les options était de 35 $; à 15 $ l'unité, les quatre distributeurs de lait ajoutaient un montant additionnel de 60 $ au prix de la vache. Les deux cornes très originales, à 20 $ chacune, totalisaient 40 $; et l'appareil fertilisant automatique, garanti à vie, coûtait un autre 125 $, pour un total de 465 $ au chapitre des options. La taxe étant de 60,20 $, la facture totale s'éleva donc à 920,20 $.

Je suis persuadé qu'en lisant cette histoire plusieurs d'entre vous ressentent une certaine forme d'empathie pour le fermier. Il se peut que cette histoire vous fasse sourire et, par conséquent, de pouvoir la partager avec d'autres permet d'amenuiser un peu cette peine qui, à l'occasion, accompagne les dépenses excessives qui grèvent votre budget. Allez-y! Riez un bon coup, et partagez ce rire avec d'autres!

«La dernière chose que mes enfants ont inventée pour gagner de l'argent fut de monnayer leurs dents de lait.»
(Phyllis Diller, dans «Rod's Ponders», le 16 mai 1994)

Sachez vous récompenser

Quand on dit «ce ne sont que des mots», c'est comme si on disait «ce n'est que de la dynamite».

L e regretté William Arthur Ward a été et reste encore l'un de mes écrivains préférés. Ses pensées profondes et sa capacité de traduire en peu de mots une philosophie de vie étaient vraiment remarquables. Voici un extrait de son livre intitulé *Sachez vous récompenser*:

Un homme téléphona à son médecin et lui dit nerveusement: «S'il vous plaît, docteur, venez immédiatement! Mon fils vient d'avaler mon stylo à encre.»

Le médecin répliqua: «J'arrive tout de suite. Mais que ferez-vous en attendant?»

Le père répondit: «J'utiliserai un crayon à mine.»

Ce que nous faisons «en attendant» s'avère d'une importance vitale pour nos vies et celles des autres. Ce que nous accomplissons pendant nos temps libres peut façonner notre caractère ou le détruire. Cela peut faire notre fortune ou assurer notre échec.

Tandis que nous attendons que les feux de circulation changent, nous pouvons prier pour notre gouvernement, notre nation, et pour le monde entier.

Pendant que nous attendons l'ascenseur, nous pouvons rester immobile et sentir que Dieu existe, et qu'Il contrôle toujours l'univers.

Au volant ou en route pour le travail, nous pouvons méditer en proclamant intérieurement des affirmations reconnaissantes et remplies de joie pour tout ce qui est authentique, pur, charmant et positif.

En lavant la vaisselle, en tondant la pelouse, ou en effectuant d'autres tâches exigeant une attention moindre, nous pouvons chanter, siffloter, ou encore fredonner les airs de grandes chansons et des hymnes qui inévitablement embellissent nos vies et celles de nos frères humains.

Dans la salle d'attente de notre médecin ou de notre dentiste, nous pouvons remercier Dieu pour tous ces professionnels dévoués, nous pouvons prier pour ces patients souvent anxieux, apeurés, abattus, ou qui souffrent.

Ce que nous faisons de ces occasions en or que nous appelons les périodes de temps «en attendant», peut enrichir et inspirer, encourager et édifier, bénir et illuminer cet important secteur de l'univers qui est le nôtre.

Ce qui précède représente bien plus que des mots sur une feuille de papier, c'est une philosophie de vie. Adoptez-la et vous saurez réellement vous récompenser.

Un homme dit à un ami: «Je viens de comprendre pourquoi nous sommes encore et toujours en période d'inflation. Chacun gagne de l'argent pendant cinq jours par semaine, mais le gouvernement le dépense sept jours sur sept!»
(Don Reber dans Reading, Pennsylvanie, Times)

Montrez-vous aimable et écoutez

Le sang-froid est bien trop précieux pour risquer de le perdre; alors veille bien sur le tien et tu ne le perdras probablement pas.

*U*n sage a dit un jour: «Il est bon de se sentir important mais il est encore plus important d'être bon.» Un autre ancien dicton s'énonce comme suit: «Quand nous parlons, nous n'apprenons pas; ce n'est qu'en écoutant que nous apprenons des choses.»

L'écoute vous évitera certains embarras et pourrait même vous faire gagner de l'argent. Par exemple, Tommy Bolt acquit une réputation bien méritée pour sa mauvaise humeur lors de ses participations à des tournois de golf. À force de briser et de lancer ses bâtons, il devint l'objet de plaisanteries de vestiaire et un sujet de discussion dans les médias. Lors d'un tournoi, il hérita d'un caddie ayant la réputation d'être bavard;

monsieur Bolt l'avertit donc de demeurer silencieux et de restreindre sa conversation à des «oui, monsieur Bolt» ou à des «non, monsieur Bolt».

Le hasard voulut qu'une des balles de Tommy Bolt s'arrêtât près d'un arbre. Pour atteindre le vert, il devait frapper la balle par-dessus un lac tout en étant placé lui-même sous une branche. Il analysa attentivement la situation et prit une décision. Cependant, comme il arrive fréquemment dans une telle situation, il s'adressa simultanément au caddie et à lui-même: «Devrais-je utiliser mon fer numéro cinq?» Le caddie ayant bien appris sa leçon répondit simplement: «Non, monsieur Bolt.» La fierté et le tempérament de Tommy Bolt l'incitèrent à dire: «Pas de fer numéro cinq, comment ça? Surveillez bien attentivement ce coup!» Se conformant toujours aux instructions, le caddie répéta: «Non, monsieur Bolt!»

Mais Tommy Bolt n'écoutait déjà plus. Il visa avec soin et frappa la balle qui atterrit magnifiquement sur le vert. La balle s'arrêta à moins d'un mètre du trou. Arborant un air suffisant, il remit son fer numéro cinq au caddie en faisant le commentaire suivant: «Que pensez-vous de cela? Allez-y, vous avez le droit de parler maintenant!» «Monsieur Bolt, ce n'était pas votre balle», répondit le caddie.

En frappant la mauvaise balle, Tommy Bolt écopa d'une pénalité de deux coups et perdit beaucoup d'argent. Le message est le suivant: soyez aimable avec les autres, surtout avec ceux qui sont à votre service, et écouter ce qu'ils ont à dire.

«Rien n'est plus déroutant pour un homme au volant que de suivre une femme qui conduit parfaitement.»

Les enseignants inspirants génèrent des étudiants inspirés

Chacun possède au fond de soi des semences de grandeur. La responsabilité des parents et des leaders est de nourrir et cultiver ces graines.

Madame Romayne Welch, de l'école élémentaire Reynolds à Baldwinsville, dans l'État de New York, est vraiment une institutrice exceptionnelle. Elle est un exemple de ce que le dévouement, l'inspiration, l'amour des enfants et la quête de l'excellence peuvent générer. Cette enseignante par vocation et ses élèves sont très créatifs. Ils décèlent des perspectives toutes nouvelles dans chaque problème.

Au cours de l'année scolaire 1993, ils ont mis en scène un opéra magnifique, un opéra original qu'ils ont créé eux-mêmes. Pouvez-vous imaginer des enfants de neuf et dix ans qui écrivent, produisent et jouent dans leur propre opéra, sous la conduite d'un chef d'orchestre, lui-même un écolier de cinquième année? Madame Welch souligne que, le plus diffi-cile, fut «de les laisser à eux-mêmes, de permettre aux enfants de prendre leurs propres décisions et de les mettre en pratique».

Un maigre montant de 125 $ fut alloué à la classe pour l'ensemble de la production, et la rampe de lumières en coûta autant à elle seule. Ils utilisèrent momentanément leur créati-vité pour réunir des fonds et ils amassèrent la somme addi-tionnelle dont ils avaient besoin, soit 1 200 $. Les enfants de deuxième à cinquième année fabriquèrent cinq séries de cartes, en paquets de six cartes chacun. Ils y dessinèrent des annotations musicales remarquables. En outre, comme tout opéra a besoin de loges, les écoliers en construisirent avec des boîtes en carton. C'était à se tordre de rire!

En conclusion, l'opéra remporta un grand succès et sema le germe pour d'autres projets, dont une comédie musicale

portant sur l'immigration et sur Ellis Island. J'ai l'impression que tout ce que madame Welch et ses écoliers entreprendront sera couronné de succès, et ses jeunes auront bien d'autres opportunités de croissance. Ils auront aussi de magnifiques occasions de démontrer ce que des jeunes gens talentueux et bien dirigés peuvent accomplir.

Nous devrions être plus nombreux à jouer un rôle auprès de nos jeunes au lieu d'être prompts à la critique. J'adresse mes plus vives félicitations à madame Romayne Welch et aux remarquables écoliers de l'école primaire Reynolds. À travers toute l'Amérique, des parents et des professeurs pleins d'espoir s'inspireront de votre expérience et orienteront leurs jeunes vers plus d'activités de ce genre. Ces activités leur permettront de transformer leur énergie créatrice en projets qui formeront leur caractère tout en leur donnant de l'assurance.

« Mon médecin m'a donné six mois à vivre. Quand je lui ai dit que je ne pouvais pas payer ses honoraires, il m'en a donné six autres ! »
(Walter Matthau)

La lecture, l'écriture et l'arithmétique ne suffisent pas

« Nos paroles révèlent nos pensées, nos manières reflètent notre amour-propre. Nos actions sont le miroir de notre caractère, nos habitudes annoncent l'avenir. »
William Arthur Ward

Ne vous y trompez pas! L'utilité de la lecture, de l'écriture et de l'arithmétique est tellement manifeste que cela ne laisse planer aucun doute dans notre monde de plus en plus

112

complexe. Toutefois, selon John Stinson, vice-président des ressources humaines chez Trans-Canada PipeLines Limited, il nous faut dépasser largement ces trois domaines fondamentaux. Monsieur Stinson signale que l'estime de soi, l'éthique, l'apprentissage du langage de votre gestion d'entreprise, le respect de la diversité, l'intégrité, la ténacité, le travail d'équipe, la gestion du temps, la fixation d'un but, et la résolution de problèmes sont tous des éléments incontournables.

Cela va nécessiter une transformation de nos façons de penser et le changement est toujours lié au stress. John Stinson maintient que: «Si vous n'êtes pas capable d'affronter le changement et de continuer votre route, vous aurez des problèmes.» Plus le monde évolue, plus le besoin de changement augmente, et plus les attentes de nos clients se modifient en conséquence. Tout employé doit changer en élargissant ses compétences et sa bonne volonté à s'adapter.

Réfléchissez à ce qui suit: De 1972 à 1991, les exportations d'automobiles en provenance de l'Amérique vers le Japon ont diminué d'environ 2%. Au cours de la même période, les exportations d'automobiles de l'Allemagne vers le Japon ont augmenté de plus de 700%, et les Allemands étaient soumis aux mêmes restrictions que les Américains. La différence était la suivante: Les Allemands prirent en considération le fait que les Japonais conduisent du côté gauche de la route, que le volant se trouve sur le côté droit de l'automobile, et que leurs véhicules sont beaucoup plus petits. La solution est bien simple: Installez le volant à droite, construisez des véhicules plus petits, et les Japonais les achèteront.

Quand la Jeep Cherokee américaine, conçue pour répondre aux normes japonaises, fut lancée en 1992, elle connut un succès immédiat au Japon. Le message est le suivant: Préparez-vous à répondre aux besoins du marché, et je puis vous assurer que des employeurs viendront vous chercher, surtout si vous excellez dans ce que vous vous êtes préparé vous-même à accomplir.

Quand l'argent se fait moins rare, les étudiants en pension écrivent à leurs parents pour en obtenir.

Elle a donné tout ce qu'elle possédait

N'oubliez pas: «Le fruit que nous cultivons dans les vallées du désespoir est l'aliment que nous mangerons au sommet de la montagne.»
Fred Smith

*A*rturo Toscanini a déjà affirmé que Marian Anderson possédait la voix la plus douce «de ce côté-ci du ciel.» Elle a chanté devant des rois et des chefs d'État dans les opéras d'Europe et d'Amérique. Elle possédait un registre de voix extraordinaire, passant de soprano jusqu'aux notes les plus basses du contralto dans une tonalité limpide.

Marian Anderson fit ses débuts en lavant des planchers à la brosse pour dix sous de l'heure, afin de pouvoir s'acheter un violon chez un prêteur sur gages. L'église qu'elle fréquentait sut reconnaître son rare talent et réunit des fonds pour qu'un professeur de chant professionnel puisse travailler avec elle. Quand ce dernier la jugea fin prête, elle se rendit à New York où les critiques la démolirent. Elle retourna chez elle pour se ressaisir. Sa mère et les gens de son église l'encouragèrent et défrayèrent le coût de leçons additionnelles.

Quelque temps après, en raison des préjugés raciaux intenses sévissant en Amérique, elle partit pour l'Europe et obtint un succès foudroyant en Europe continentale. Elle revint ensuite en Amérique et chanta au Lincoln Memorial devant plus de soixante mille personnes. Notons parmi les titres qu'elle interpréta: «O Mia Fernando», «Ave Maria», «Gospel Train», «Trampin», ainsi que «My Soul Is Anchored in the Lord». Ceux qui ont eu le privilège de l'entendre chanter et d'écouter Martin Luther King fils prononcer son fabuleux discours «I Have a Dream», ont affirmé que son chant avait été encore plus émouvant que l'allocution du pasteur.

Un journaliste lui demanda un jour quel avait été l'événement le plus gratifiant de sa vie. Elle répondit sans aucune hésitation que ce fut le jour où elle annonça à sa mère qu'elle ne prendrait plus de lessives à domicile. Il serait fastidieux d'énumérer tous les honneurs qu'elle avait reçus, et pourtant c'était ce simple événement qu'elle tenait pour le plus satisfaisant de sa vie. Le journaliste lui demanda alors: «Qu'est-ce que votre mère vous a donné?» Marian Anderson répondit: «Tout ce qu'elle possédait.»

Voilà ce que j'appelle de la noblesse, et le fait de donner tout ce que l'on possède est notre propre clé vers la noblesse, la grandeur.

―――――――――――

«Les premières et dernières prévisions météorologiques vraiment précises furent celles où Dieu annonça à Noé qu'il allait pleuvoir.»

―――――――――――

Un panier à la fois

Le mot anglais COMMUNITY devrait s'écrire COME IN UNITY et signifierait alors: «Venez tous ensemble.»

Il y a plusieurs années, alors qu'il était en visite en Orient, Bill Schiebler, d'Eden Prairie, du Minnesota, eut l'occasion de vivre une expérience unique. Il se trouvait dans un pays agricole où chaque centimètre de terrain compte. Une colline élevée surmontée d'une plantation de bambous occupait une partie du terrain. Les Anciens du village décidèrent qu'il

115

fallait déplacer la colline pour favoriser davantage l'agriculture. La manière de penser tout américaine de Bill Schiebler l'empêchait de concevoir le déplacement de cette colline sans l'aide d'énormes engins de terrassement, mais l'esprit oriental et son éthique du travail sont différents.

Des milliers de personnes qui vivaient dans les environs immédiats participèrent à l'aventure, et acceptèrent même qu'elle fasse partie de leur routine quotidienne. Des paniers remplis de terre étaient descendus du haut de la colline jusqu'en bas et, dans certains cas, des chaînes humaines s'étiraient sur trois kilomètres de long. On avait l'impression qu'il ne se passait rien car le visage de la colline ne semblait pas vouloir changer d'un trait. Mais au bout d'un certain temps, suite à un travail d'équipe incroyable, à la participation de milliers de personnes, et à une mobilisation quotidienne et régulière de tous et chacun, on vit la colline s'abaisser petit à petit, et un jour, un merveilleux terrain plat, propice à la culture, surgit à sa base.

Les Américains témoins de cet effort furent stupéfaits le jour où il ne resta plus du tout de colline. Ils prirent conscience alors qu'à peu près n'importe quelle tâche peut être accomplie quand vous réunissez les gens sous une même bannière, dans un effort concerté en vue du bien commun. Bill Schiebler fait ressortir avec sagesse que nous devrions nous servir de cet exemple dans notre vie de tous les jours. Quand nous serons confrontés à des tâches apparemment impossibles à accomplir, en les découpant par segments plus petits, ou en «un panier à la fois», nous pourrons littéralement réaliser l'impossible et déplacer ces montagnes. Notez bien ceci: les villageois ont utilisé un passif (en ce qui a trait à l'agriculture) en se servant d'une montagne et en employant la terre qui la compose pour créer un actif précieux (une terre agricole fertile).

Prenez le temps d'y réfléchir. Examinez attentivement votre passif; il se peut que vous puissiez le convertir en un actif, et même si cela devait se faire un seul panier à la fois.

Un boxeur professionnel, envoyé au tapis d'un puissant coup de poing lors de la deuxième ronde, essayait de lever les yeux et la tête du tapis. «Laisse l'arbitre compter», cria son entraîneur. «Ne te relève pas avant le compte de huit.» Le boxeur fit signe que oui et répliqua faiblement: «Quelle heure est-il en ce moment?»
(Executive Speechwriter Newsletter)

Un employé à temps partiel atteint des sommets

La mesure du succès n'est pas ce que vous obtenez pour avoir atteint votre but, mais ce que vous devenez après l'avoir atteint.

Quand il était étudiant au collège, Dean Sanders se fit embaucher à temps partiel chez Sam, un commerçant de fournitures en gros. Aujourd'hui, il est président de cette entreprise dont le chiffre d'affaires annuel s'élève à environ 25 milliards de dollars. J'ai rencontré Dean et j'ai appris à mieux le connaître lors d'une allocution que j'ai prononcée chez Sam, où on célébrait avec beaucoup d'éclat l'ouverture de nouveaux magasins.

Un certain matin, j'eus le plaisir de m'adresser au personnel de Sam dans le cadre d'un petit-déjeuner juste avant l'ouverture du magasin. La largeur d'esprit de Dean envers son personnel, sa façon de procéder «en manches de chemise», et sa bienveillance étaient rafraîchissantes. Mais je fus vraiment impressionné quand je remarquai que Dean ramassait des assiettes et des tasses vides et les jetait dans la boîte à ordures. Je l'observais et je me demandai combien de présidents de sociétés valant 25 milliards de dollars oseraient

117

agir de la sorte. Premièrement, prendraient-ils part à un petit-déjeuner de travail? Deuxièmement, se mêleraient-ils aussi volontiers et avec autant de facilité à leurs différents personnels, où l'on retrouve des cadres supérieurs très bien rémunérés et des salariés à taux horaire? Troisièmement, desserviraient-ils la vaisselle du petit-déjeuner sous les regards de tous et chacun?

Ce qui m'a le plus frappé, c'est que Dean le fit si naturellement, sans aucune arrière-pensée manifeste telle que la suivante: «Eh bien, quelqu'un doit faire cette besogne et comme personne d'autre ne la fait, j'en déduis donc que c'est à moi de l'accomplir.» Il s'agissait au contraire d'une tout autre attitude de sa part: il y avait de la vaisselle sur les tables; il fallait les débarrasser; étant le plus proche des tables, il était par conséquent celui qui était le mieux placé pour les desservir.

Cela nous rappelle une vérité: «Le plus grand parmi vous sera votre serviteur.» (Matthieu 23, 11). Aujourd'hui, bien des gens croient que les autres devraient les servir, mais la réalité est que ceux qui servent le mieux sont aussi ceux qui dirigent le mieux. Réfléchissez-y longuement. Adoptez l'attitude du serviteur (sans pour autant devenir servile).

Le chroniqueur Ray Ratto a écrit dans le San Francisco Examiner *concernant un problème potentiel auquel l'équipe des 49ers est confronté: «Carmen Policy est un avocat. Steve Young est un avocat. Le joueur de centre Bart Oats est un avocat. Mark Trestman, le nouveau coordonnateur de l'offensive chez les 49ers, est aussi un avocat. Dieu nous vienne tous en aide s'il leur arrivait un jour d'être en désaccord sur le troisième et le huitième jeu.»*

Il est préférable de donner

> *Ceux qui réussissent vraiment dans la vie sont ceux qui donnent et qui pardonnent.*

« Q uand Wally Jansen me parla du nouveau "voyage traditionnel dans l'île" offert par son entreprise à l'occasion de Noël, je fus intrigué», dit Phillip Kelly. «Dix jours avant Noël, les 200 familles portoricaines de cette paroisse se rassemblaient et déposaient 5 $ dans une cagnotte. Cette somme représentait à l'époque une journée de salaire pour les cueilleurs de fruits. Chaque famille écrivait son nom sur un bout de papier. On bandait ensuite les yeux d'une personne qui pigeait le nom de la famille qui allait avoir la chance de passer Noël dans son pays d'origine, de jouir de deux semaines glorieuses dans l'île, tout en ayant suffisamment d'argent pour acheter des cadeaux de Noël à tous et chacun.

«C'était mon premier Noël au milieu de cette communauté et j'ai assisté cette année-là au fameux tirage. C'était le dernier tirage auquel participait Wally Jansen car il prenait sa retraite après 40 ans de loyaux services. Au cours des 25 années précédentes, il avait été contremaître de la fabrique de conserves.

«Vers trois heures, chacun avait déboursé son 5 $ de contribution et le présentateur demanda au comité de monter sur la scène pour veiller au bon déroulement du tirage. Puis, on me demanda d'aller piger le nom de la famille chanceuse. On me banda les yeux et on me fit avancer près de la cagnotte. J'étendis le bras et saisis plusieurs bouts de papier et, finalement, je n'en gardai qu'un seul dans la main. Je le dépliai et je lus «Wally Jansen». Les applaudissements fusèrent. Tout le monde l'entoura, l'étreignit en pleurant, le félicita et lui souhaita un joyeux Noël et un merveilleux voyage. Tandis que l'agitation perdurait, je reculai discrètement vers la cagnotte, je pigeai plusieurs bouts de papier et en ouvrit quelques-uns. Bien que l'écriture fut différente, sur chacun était inscrit le même nom: Wally Jansen.»

J'imagine que la famille de Wally Jansen ressentit un bonheur indicible. Mais je crois que ceux qui inscrivirent le nom de «Wally Jansen» éprouvèrent une joie encore plus grande à l'idée d'avoir fait de lui un gagnant. Prenez le temps d'y réfléchir. Apprenez à donner, et vous n'en serez que plus heureux au cours de votre voyage vers le sommet.

Un jour, un homme trouva chez lui, à son retour du travail, une note laissée par sa femme. Elle lui annonçait qu'elle avait dû se rendre de toute urgence à l'extérieur de la ville, mais qu'il allait quand même adorer son dîner. Il suffisait qu'il ouvre le livre de recettes à la page 28.

«Ce n'est pas ma faute!»

Les gens vous jugent sur vos actes et non sur vos intentions. Il se peut que vous ayez un cœur d'or, mais le jaune d'un œuf à la coque est également doré.

La célèbre historienne Barbara Tuchman a surnommé notre époque «l'ère de la perturbation». Elle dit que nous avons cessé de croire à certains principes moraux, et que notre faculté de discerner le bien du mal est quelque peu déformée. Récipiendaire du prix Pulitzer à deux reprises, elle ajoute que ce dont nous aurons le plus besoin au cours du prochain siècle est «probablement de responsabilisation personnelle». Elle explique que le fait d'assumer la responsabilité de votre comportement et de votre performance ne signifie aucunement que la société doive vous absoudre parce que ce n'est pas «votre faute».

Madame Tuchman se fait l'écho de bien des préoccupations de la population en général. Nous entendons des gens crier de partout: «Ce n'est pas ma faute!» Cela prend peut-être sa source dans l'enfance quand deux enfants se chamaillent et que chacun d'eux proclame haut et fort: «Ce n'est pas ma faute!» Le *dictionnaire Noah Webster*, de 1828, définit le mot *faute* comme suit: «Action de faillir, d'où une erreur ou un manquement, une bévue, un défaut.» Cette définition explique pourquoi bien des gens ne veulent pas accepter leurs fautes et choisissent plutôt de les nier.

Quand nous sommes témoins d'une altercation dans le domaine sportif, les athlètes jettent généralement le blâme sur quelqu'un d'autre. Nous constatons la même chose dans les palais de justice. Les frères Menendez ont expliqué avoir été «forcés» de tuer leurs parents parce que ces derniers les avaient traités de façon brutale. Quand un jeune homme assassina deux de ses cousins à Dallas, on a brandi l'explication du «syndrome urbain de la loi du plus fort» et la mentalité de «tuer ou d'être tué». Les voleurs disent souvent: «Ce n'est pas ma faute, je ne parvenais pas à trouver un emploi.» La liste est interminable.

Soyons réalistes: nous entretiendrons peu d'espoir en ce qui a trait à notre avenir tant que nous n'assumerons pas la responsabilité de nos actes. Voici le message: la meilleure façon de vivre pleinement sa vie consiste à assumer la responsabilité de sa propre performance et de ses actions. Commencez donc à assumer la responsabilité de vos actes dès aujourd'hui, et cela deviendra bientôt pour vous un mode de vie. Toute votre vie s'améliorera en adoptant cette attitude.

C'est avec beaucoup d'assurance qu'un jeune garçon de 5 ans dit à Art Linkletter que la poule avait précédé l'œuf car «Dieu ne peut pas pondre des œufs».

Applaudissons Brenda Reyes
et les fusiliers marins

> *Examinez attentivement une tortue. Le seul moment*
> *où elle progresse vraiment,*
> *c'est quand elle étire le cou.*

Dans un article du *Dallas Morning News*, Laurie Wilson souligne que Brenda Reyes est la femme d'affaires de l'année au Texas. Elle reçut cet honneur de l'association de la Chambre de commerce mexico-américaine du Texas. Ce groupe de 9 000 membres honore chaque année une femme d'affaires pour sa réussite financière, sa participation à la vie communautaire, et pour son professionnalisme.

Madame Reyes est une femme d'affaires indépendante, propriétaire du groupe Innovative Computer. Elle fit une première et brève incursion dans le domaine des affaires comme employée de banque; elle comprit très vite que ce n'était pas sa place après avoir rencontré une femme qui y avait accompli la même tâche, tous les jours, pendant quarante ans. Elle s'inscrivit à l'université de la Nouvelle-Orléans, puis, elle décida de s'enrôler chez les fusiliers marins. Elle revint plus tard à l'université pour y compléter ses études.

En plus d'avoir appris de nombreuses leçons relativement à l'honneur et à la discipline chez les fusiliers marins, le service l'incita à découvrir et à capitaliser sur ses propres atouts. Après l'université, elle se découvrit des aptitudes dans le domaine des ordinateurs; elle profita donc de ses temps libres pour installer des systèmes informatiques chez des amis qui n'avaient plus la patience de le faire.

Au début, elle s'offrit pour aider les autres, mais elle se rendit compte très vite qu'elle pouvait utiliser ses propres connaissances pour faire carrière dans le domaine. Elle ouvrit sa première entreprise de développement de logiciels en 1986, à Nouvelle-Orléans sa ville natale, et plus tard elle la réimplanta à Dallas.

À titre d'ancienne combattante des fusiliers marins, elle avait dû faire face à certaines situations difficiles et à quelques fusiliers marins fanatiques. Elle ne fut donc pas vraiment déconcertée quand vint le temps de faire la présentation de son matériel de documents électroniques devant une salle remplie de cadres supérieurs haut salariés. Et comme elle le fait remarquer elle-même, elle n'a pas à faire le salut devant ces messieurs. Elle suit le rythme de tous les changements technologiques dans l'industrie ; elle a eu le courage de prendre la décision de la réimplanter afin de développer son entreprise ; et le résultat est manifeste, en témoigne d'ailleurs cet honneur d'être nommée la femme d'affaires de l'année du Texas. Nos sincères félicitations, madame Brenda Reyes ! Vous avez donné l'exemple et vous nous avez tous appris une leçon dans l'art d'utiliser notre potentiel à son maximum.

Si Patrick Henry a pu penser que la taxation sans représentation était mauvaise en soi, il devrait voir ce qu'elle est devenue avec la représentation.

Les petites choses font toute la différence

Ouvrez les yeux et vous découvrirez incontestablement une centaine de choses pour lesquelles vous pouvez et devriez exprimer de la gratitude. Faites-le dès maintenant.

Si ma montre retarde de 4 minutes et que je me présente à 12 h 04 pour un vol prévu à midi juste, vous savez comme moi ce qui se produira. Je suis parvenu à un accord avec les lignes aériennes stipulant que si je ne suis pas présent au moment où mon vol s'apprête à décoller, l'avion n'a qu'à partir sans moi. Cette partie de notre entente a toujours été respectée par les lignes aériennes.

Quelqu'un a dit un jour que l'honnêteté dans les petites choses n'est aucunement négligeable. Par ailleurs, la plus petite des bonnes actions est préférable à la meilleure des intentions. Ces affirmations sont tellement vraies. Dans une grave situation, une petite chose peut revêtir une énorme signification. Le général de brigade à la retraite, Robinson Risner, fut prisonnier de guerre au Viêt-nam du Nord pendant plus de sept ans. Il fut confiné à la réclusion solitaire pendant cinq de ces années. Il a souffert du froid, de la chaleur, de la malnutrition et du manque de grand air. Il fut entièrement privé de toutes les commodités de la vie. À toutes les heures, il faisait du jogging dans sa cellule. Quand il devenait frustré au point de crier, il introduisait son sous-vêtement dans sa bouche afin d'étouffer son cri. Il ne voulait pas donner à ses gardiens la satisfaction de prendre conscience de l'ampleur de sa frustration.

Un jour, ayant touché le fond du désespoir, le général Risner s'étendit sur le plancher et examina sa petite cellule rectangulaire. Il regarda de plus près les blocs de ciment dans l'espoir d'y trouver une fissure. Par bonheur, il y avait une minuscule ouverture par où il aperçut une simple feuille. Il affirma plus tard que le fait de voir cette manifestation de la vie à l'extérieur avait été pour lui un événement fort réjouissant et vivifiant.

Quand j'ai entendu son histoire, la plupart des sujets de plainte que j'entretenais face à la vie furent soudainement mis en contexte, et je décidai d'apprécier davantage les nombreux bienfaits que j'avais reçus plutôt que de me plaindre de ce que je n'avais pas. Sachez pertinemment que si vous jetez un coup d'œil rapide autour de vous, vous découvrirez plusieurs bienfaits que vous avez déjà reçus et que vous continuerez de recevoir. Le fait d'exprimer son appréciation pour tous ces bienfaits constitue une approche gagnante dans la vie.

Le client: « Je ne peux pas manger cette soupe. »
Le serveur: « Désolé, monsieur, je vais appeler le directeur. »
Le client: « Monsieur le directeur, je ne peux pas manger cette soupe. »
Le directeur: « Je vais faire venir le chef. »
Le client: « Chef, je ne peux pas manger cette soupe. »
Le chef: « Qu'est-ce qui ne va pas avec ma soupe? »
Le client: « Rien, je n'ai tout simplement pas de cuiller! »

« C'est moi qui fais tout ici! »

> *« Considérez les fautes d'autrui avec la même indulgence dont vous faites preuve envers les vôtres. »*
> Proverbe chinois

Il y a plusieurs années, je devais passer à une émission de télévision de fin de soirée à New York. Pour une raison étrange, on me demanda de me présenter au studio dès 16 h 30 cet après-midi-là. J'entrai donc et je fus très étonné du peu d'espace consacré à l'accueil. On y trouvait un divan pouvant asseoir trois personnes, un fauteuil, un lavabo, un réfrigérateur et une cafetière électrique.

Au moment où je m'assoyais, une femme entra, secoua la tête, et dit: « Personne ne fait jamais de café à part moi! » Elle s'affaira à préparer du café frais. Un homme entra quelques minutes plus tard et, suivant le même scénario, il s'écria: « Je ne peux pas le croire! Si ce n'était de moi, cet endroit serait une vraie porcherie! Je suis la seule personne qui met de l'ordre ici! » Puis, il se mit à tout nettoyer cette petite pièce. Une autre femme entra un peu plus tard et se plaignit en ces termes: « À part moi, personne ne remet les choses à leur place.» Et elle se mit ranger le tout.

Chacune de ces trois personnes croyait sincèrement être la seule à faire vraiment quelque chose. Chacune d'elles se créa une petite auréole personnelle en préparant le café, en mettant de l'ordre, ou en rangeant les choses à leur place.

Je vous pose la question suivante: Est-ce ainsi dans votre entreprise, «personne n'y fait jamais rien», mais chacun croit être la seule personne qui travaille vraiment? Une pensée en passant: Si cela est vrai, et que vous êtes la seule personne à tout faire, réfléchissez à l'énorme avantage que cela vous confère. Non seulement jouissez-vous de la sécurité d'emploi, mais vos possibilités de gravir les échelons supérieurs sont illimitées.

Cependant, si vous gardez rancune à tous et chacun, si vous croyez honnêtement que vous êtes le seul à tout faire, et si vous partagez ce sentiment avec d'autres, cette mauvaise attitude réduit à rien le bon travail que vous avez précédemment accompli. Par conséquent, tenez-vous occupé, continuez à travailler, et souriez en pensant à tout cela! Vous serez emballé par votre performance et votre bonne attitude quant à votre besoin de tout faire. Vous obtiendrez de l'avancement.

———————————

Il est difficile de dire quand une génération finit et quand la suivante commence, mais cela se produit le plus souvent le soir entre 21 h et 22 h.
(Executive Speechwriter Newsletter)

Une équipe d'étoiles
ou une équipe étoile?

Les gens trouvent le moyen de devenir ce que vous les encouragez à être, et non pas ce que vous les contraignez à être.

En juillet 1991, ma femme et moi étions à Sydney, en Australie. Nous avions la chance d'assister à un concert de l'orchestre philharmonique de Sydney au célèbre Opéra au toit en forme de voiles. Étant donné que le choix des fauteuils était excellent et que nous étions libres ce soir-là, nous avons sauté sur l'occasion. Quand nous arrivâmes une demi-heure d'avance, les membres de l'orchestre étaient déjà en train de «se mettre au diapason». Il y avait là des individus de toutes les tailles, de tout âge et de toutes les couleurs, aussi bien des hommes que des femmes. Certains d'entre eux, comme le joueur de cymbale, n'allaient jouer que cinq ou six secondes au cours de toute la soirée. Quant au violoncelliste, il devait exécuter une partition d'une durée de plus de vingt minutes. Pendant que l'orchestre s'ajustait, ce que j'entendais s'apparentait davantage à du bruit qu'à de la musique.

Une minute exactement avant 20 h, le chef d'orchestre est monté sur la scène. Chacun se redressa aussitôt sur son fauteuil. Dès qu'il atteignit la dernière contremarche, tout l'auditoire se concentra. À vingt heures précises, il leva sa baguette, et quand il laissa retomber les bras, la musique prit son envol. Ce qui m'avait semblé du bruit quelques secondes plus tôt se métamorphosa en une très belle mélodie.

Le chef d'orchestre venait de transformer une équipe d'étoiles en une équipe étoile. Même si chaque instrument produisait des sonorités tout à fait uniques, ils se fondaient tous ensemble dans l'harmonie. Aucun instrument n'en dominait un autre; au lieu de cela, chaque instrument jouait

SOURIEZ À LA VIE

en harmonie avec les autres au point d'en devenir une part intégrante. Pouvez-vous vous imaginer les conséquences si chaque musicien avait décidé que son propre instrument serait l'étoile du spectacle?

Le chef avait été membre d'un orchestre à titre de musicien pendant un certain nombre d'années. Il avait appris à obéir en suivant à la lettre les indications du chef d'orchestre quand il n'était qu'un simple exécutant. En clair, il avait appris à obéir afin de pouvoir diriger plus tard. Un jour, j'ai croisé un jeune homme arborant un tee-shirt sur lequel était écrit: «Je ne suivrai l'exemple de personne.» Quelle tragédie! Car tant qu'il n'aura pas appris à suivre, il ne sera jamais capable de diriger.

Un jeune enfant montra du doigt une photographie et demanda au policier s'il s'agissait bien de la photo de la personne la plus recherchée. «Oui, c'est bien ça», répondit le policier. «Eh bien», s'enquit l'enfant, «pourquoi ne l'avez-vous pas emprisonnée quand vous l'avez prise en photo?»
(The Rotarian)

Pour revivifier les personnes âgées

> **Quand on mentionne la retraite dans la Bible, il s'agit toujours d'un châtiment.**

Dans un article passionnant paru dans le *U.S. News and World Report*, Joannie M. Schrof nous fait part d'informations encourageantes concernant les citoyens âgés des États-Unis. Elle cite plusieurs études sur le phénomène du vieillissement qui me semblent très prometteuses. Elle tire des citations du livre *Profiles in Cognitive Aging* d'un psychologue de Harvard, Douglas Powell. Ce dernier affirme qu'environ un quart à un tiers de ses sujets octogénaires obtinrent d'aussi bons résultats que des sujets plus jeunes. Même ceux qui eurent les résultats les plus bas ne souffraient que de légers handicaps.

Les études indiquent que l'exercice semble être le facteur le plus propice à améliorer les performances du cerveau, que l'on soit en bonne santé, malade, jeune ou vieux. Un exercice modéré telle une promenade quotidienne de 30 minutes est très bénéfique. La nouvelle la plus réjouissante, c'est que vous pouvez recouvrer toutes vos facultés intellectuelles même si vous en perdez partiellement l'usage pendant un certain temps. Le cerveau d'une personne âgée possède cette étonnante capacité de se régénérer lui-même.

Stanley Rapoport, directeur du laboratoire neurologique à l'Institut national sur le vieillissement, obtient des résultats renversants quand il compare les cerveaux d'individus, jeunes et vieux, qui participent à des exercices physiques similaires. Il constate que le cerveau des personnes âgées se rebranche littéralement pour compenser certaines pertes d'autonomie. Si un neurone ne fait plus son travail, des cellules cervicales avoisinantes prennent la relève.

Une étude fascinante menée par Ellen Langer et Rebecca Levy, de Harvard, suggère que des normes culturelles peuvent se transformer en prédictions qui se réalisent. En Chine, dans ce pays où l'âge ne comporte aucune connotation péjorative, les gens âgés réussissent beaucoup mieux lors de tests que leurs homologues américains. Pour résumer, votre attitude et vos attentes seront des facteurs déterminants quant à la sauvegarde de vos facultés physiques et mentales, plus vous avancerez en âge. Un autre avantage additionnel des aînés est qu'ils éclipsent constamment les personnes plus jeunes dans le domaine de la sagesse, donnant des conseils plus réfléchis et plus recherchés.

Mais la meilleure nouvelle de toutes, c'est que vous pouvez faire certaines choses pour stimuler votre cerveau: (1)

Soyez flexible; (2) trouvez la paix; (3) ayez une bonne alimentation; (4) faites beaucoup d'activités stimulantes; (5) poursuivez des études; (6) découvrez-vous de nouveaux horizons; (7) mesurez-vous au reste du monde; (8) faites une promenade chaque jour; et (9) gardez le contrôle. Adoptez dès maintenant cette démarche active et positive, et jouissez de la qualité de vie d'une personne âgée à l'esprit alerte.

N'oubliez pas que vous faites partie de l'entreprise qui vous embauche au même titre que la grosse caisse dans un orchestre. En outre, n'oubliez surtout pas que les solos de grosse caisse sont fort monotones.

De la richesse à la richesse en passant par la pauvreté

Les perspectives d'avenir se trouvent en nous-même et non dans notre travail.

Quand Fidel Castro et son régime communiste prirent le pouvoir à Cuba, la libre entreprise fut remplacée par le système socialiste, et bien des gens prospères en furent foudroyés. Carlos Arboleya, administrateur de l'une des plus importantes banques de Cuba, était l'un d'entre eux. En 1960, juste avant la prise de pouvoir par Fidel Castro, Carlos se présenta à son travail où on l'informa que les communistes avaient pris le contrôle de toutes les banques privées. Trois semaines plus tard, il réussit à s'évader de Cuba en compagnie de sa femme et de son fils. Carlos arriva aux États-Unis avec seulement 42 $ en poche, ce qui en soi représentait tout un problème. Il était sans emploi, sans lieu de résidence, et ne connaissait personne à Miami. Il offrit ses services à toutes les banques de Miami mais toutes refusèrent. Il se trouva finalement un emploi dans une manufacture de chaussures, à dresser l'inventaire.

Carlos travailla avec enthousiasme, déploya beaucoup d'énergie et fit d'innombrables heures supplémentaires. Les résultats furent spectaculaires car dans l'espace de 16 mois il devint directeur de l'entreprise de chaussures. Peu de temps après, la banque où son entreprise faisait des affaires lui offrit un poste. À partir de ce jour, il grimpa les échelons jusqu'à la présidence de la plus importante banque à succursales multiples en Amérique.

Carlos Arboleya fit ce qu'il devait faire (subvenir aux besoins de sa famille) quand il accepta un emploi pour lequel il était trop qualifié, et il trouva par la suite le genre de travail qu'il désirait. Il a démontré que ce n'est pas votre point de départ qui compte mais de vous mettre en route. Le conférencier Joe Sabah le dit en ces termes: «Vous n'avez pas à être grand pour vous mettre en route, mais il faut se mettre en route pour devenir grand.»

L'histoire de Carlos représente une simple esquisse dans le portrait global des États-Unis. C'est le pays où ceux et celles qui travaillent avec application et grandissent à travers leur dur labeur peuvent s'acheminer vers des réussites exceptionnelles. Le fait que 80 pour cent de tous les millionnaires d'Amérique soient des Américains de la première génération en témoigne éloquemment. Réfléchissez à tout cela, donnez-vous à fond pour y parvenir, et vos chances de succès augmenteront de façon spectaculaire.

Mon médecin m'a annoncé qu'il fallait m'enlever l'appendice. Quand j'ai exigé de lui un second diagnostic, il m'a répondu: «Il s'agit là de mon second diagnostic. J'ai d'abord cru qu'il s'agissait de vos reins».
(Gary Apple)

Les réussites «instantanées»

Ceux qui se distinguent du reste des gens ont appris que tout développement passe par l'épanouissement personnel.

*I*l arrive souvent qu'un inconnu accomplisse un acte spectaculaire et devienne soudain un héros, un personnage public couronné de succès du jour au lendemain qui excite l'envie de bien des gens. Examinons de plus près ce syndrome de la «réussite instantanée» qui survient presque toujours en un court laps de temps.

Il y a plusieurs années, Gary Spiess de White Lake, au Minnesota, accomplit un exploit incroyable. Il traversa l'océan Atlantique sur son voilier de 3 mètres en 54 jours seulement. La plupart d'entre nous n'avons qu'une vague idée de ce qu'il a enduré pour compléter son périple de 54 jours; mais du jour au lendemain, le monde entier sut qui il était.

Quel est donc le fond de l'histoire? Gary Spiess a-t-il eu simplement une bonne idée qu'il mit en pratique et qui le propulsa ensuite vers la célébrité par un coup de chance? Pour construire son voilier, Gary a dû travailler, tracer des plans, s'imposer des privations et étudier durant trois ans. Il a non seulement investi son argent mais aussi tous ses temps libres pendant trois bonnes années. Il a dû porter sa route sur la carte et voir chaque détail: l'utilisation maximale de l'espace disponible, des rations de vivres appropriées, des vêtements adéquats et une quantité d'eau suffisante pour la durée du périple.

De nombreux périls firent leur apparition dès le début du voyage. La perspective de devoir affronter les vagues démontées de l'océan Atlantique recelait les plus grandes difficultés, les pires dangers. Ces nuages s'alliaient souvent à une pluie mordante et froide qui glaçait Gary jusqu'aux os. L'océan cruel malmena Gary à un tel point que son corps était entièrement recouvert de taches bleues et noires quand il atteignit l'Angleterre. Il a certes connu son heure de gloire, mais on peut dire à coup sûr qu'il s'est imposé des privations et un dur labeur avant de pouvoir obtenir sa récompense.

La plupart d'entre nous ne sommes pas intéressés à réaliser des exploits de cette nature. Nous pouvons cependant affirmer sans risque de nous tromper qu'il nous faudra investir de longues heures de préparation et un dur labeur, si nous voulons accomplir quoi que ce soit d'une grande portée et si nous désirons, en particulier, en préserver toute l'importance. On peut également dire à coup sûr que ça en vaut la peine car l'effort exigé n'est que temporaire, tandis que la satisfaction et les avantages obtenus sont plus souvent durables.

Un homme a prêté cinq mille dollars à son meilleur ami pour une chirurgie plastique. Il ne pourra malheureusement pas recouvrer son argent, car il est désormais incapable de le reconnaître.

Aimer, c'est remporter
une victoire au tennis

«Nul n'est inutile en ce monde s'il allège le fardeau de quelqu'un d'autre.»
Charles Dickens

Aimer, c'est aussi faire quelque chose pour les autres. C'est un verbe actif. En prononçant l'adjectif actif, j'ai tout de suite pensé à James Lewis, un homme âgé de plus de 70 ans qui, malgré deux opérations dans le genou, est resté fidèle à une habitude de toute une vie, celle d'enseigner le tennis à la

133

jeunesse dans l'Alabama. Le magazine *Sports Illustrated* a raconté son histoire dans le cadre d'un numéro spécial. James est un ouvrier retraité de l'industrie sidérurgique, il est d'origine afro-américaine et a grandi dans la ville ségrégationniste de Birmingham. Enfant, il lui était interdit de jouer au tennis dans les parcs publics. Toutefois le vieux dicton «Vouloir c'est pouvoir» s'avéra toujours valable. James put jouer dans un décor qu'il créa lui-même. Il façonna un court de tennis en terre battue sur un terrain vague et il utilisa tout le béton qu'il put trouver pour y peindre des lignes.

En plus d'être une légende vivante de son époque, James Lewis adore apprendre aux enfants comment déchiffrer tous les secrets du jeu. Ce faisant, il leur enseigne bien plus que le tennis; il prêche par l'exemple en leur inculquant l'esprit sportif et en leur montrant comment obtenir du succès lors de compétitions, même quand les chances sont contre eux. Ils comprennent alors que le tennis est un sport vraiment amusant.

Quand il était adolescent, il aimait frapper les balles de tennis et il semblait posséder un talent naturel pour ce jeu. Il apprit à jouer par lui-même et commença tout de suite à l'enseigner aux autres. Il enseigne aux jeunes que le tennis est une suite graduelle d'étapes: «Coup droit, revers, volée, service.» Après leur avoir inculqué ces éléments, il laisse ses étudiants les incorporer à leur jeu, «tout comme pour un puzzle». «Il est vraiment des hommes les plus aimables et généreux que l'on puisse trouver; il partage tout: que ce soit son temps, ses connaissances, son équipement sportif et même sa nourriture», affirme Louis Hill, responsable du tennis dans la ville périphérique de Fairfield, dans l'Alabama.

Plusieurs des étudiants de James Lewis ont mérité des bourses d'études universitaires. Aujourd'hui, monsieur Lewis concentre son zèle de missionnaire sur plusieurs programmes consacrés aux loisirs. L'un de ces programmes porte son nom, de même que deux collèges de la région. C'est un être qui se donne entièrement et qui gagne en créant des gagnants. Essayez donc de voir la vie à la façon de James Lewis.

Le maître de cérémonies: «Je ne suis pas très doué pour les présentations, mais ce n'est pas grave car notre prochain invité est encore moins doué pour les discours.»

«Elle était la rapidité et le mouvement incarnés»

Vous ne pouvez gravir l'échelle du succès si vous avez les pieds glacés.

*L*e titre qui précède est une citation de Jesse Owens. Il parlait de Wilma Rudolph, née prématurément, et 20ᵉ enfant d'une famille de 22. Au début de l'enfance, elle contracta une pneumonie double et la scarlatine. Elle fut victime de la poliomyélite à l'âge de 4 ans et sa jambe gauche commença à s'atrophier. Ses médecins crurent qu'elle ne pourrait jamais plus marcher, mais les membres de sa famille ne perdirent pas espoir. Ils se relayèrent afin de lui masser les jambes pendant des heures. Finalement, grâce à une armature et à une chaussure orthopédiques, elle se remit lentement à marcher. Elle avait été clouée au lit et incapable d'aller à l'école pendant deux ans.

À 11 ans, on enleva l'armature et on la jeta aux ordures avec la chaussure orthopédique qu'elle détestait. Wilma Rudolph était enfin libre.

Wilma éprouvait une véritable passion pour la course à pied. Il lui arrivait de sécher les cours et de se glisser furtivement dans un stade local. La joie absolue qu'elle ressentait à

135

courir était si grande qu'elle courait toute la journée. En moins d'un an, elle lançait des défis à tous les garçons du voisinage et les devançait presque tous. À l'âge de 15 ans, 4 ans seulement après avoir jeté l'armature, Ed Temple l'invita à s'entraîner avec les Tigerbelles, la fameuse équipe féminine d'athlétisme de l'université d'État du Tennessee.

À 16 ans, elle se qualifia pour l'équipe olympique de 1956 mais ne remporta qu'une médaille de bronze. Elle s'inscrivit ensuite à l'université d'État du Tennessee grâce à une bourse pour les épreuves sur piste, et elle s'entraîna avec Ed Temple, qui fut l'entraîneur de l'équipe olympique de 1960. Wilma devint une super étoile sur cette équipe. Le jour précédant sa première épreuve du 100 mètres, elle subit une grave entorse au pied, mais elle obtint quand même des médailles d'or dans les épreuves du 100 et du 200 mètres. Elle participa ensuite à la course de relais du 400 mètres et remporta sa troisième médaille d'or.

L'exploit accompli par Wilma Rudolph est tout à fait incroyable! Je crois qu'elle a eu du succès non pas en dépit de ses problèmes mais à cause d'eux. Elle prenait grand soin de cette santé que d'autres tenaient pour acquise. Sa joie la remplissait d'une telle exubérance que son entraînement s'intensifia et la rendit capable d'éclipser les athlètes de son époque. Voilà de quoi réfléchir. Suivez votre étoile et il y a de fortes chances que vous atteigniez de nouveaux sommets.

Vous vous demandez peut-être si un poisson exagère la grosseur de l'appât qu'il a décroché quand il revient chez lui.

Nous sommes tous redevables

> *Nous disposons tous du même laps de temps mais d'aptitudes et de talents différents. Toutefois, ceux qui gèrent bien leur temps surpassent souvent ceux qui sont plus talentueux.*

Albert Einstein disait: «Je me répète 100 fois par jour que ma vie intérieure et ma vie extérieure s'appuient sur le labeur d'autres êtres humains vivants et décédés, et que je dois me remuer moi-même afin de redonner autant que j'ai reçu.» Après avoir médité sur ces mots d'Albert Einstein, vous prendrez conscience de la sagesse totalement désintéressée de ce message. Nous sommes d'abord redevables à nos parents car ils assument la responsabilité de notre venue dans ce monde. Nous le sommes ensuite à l'égard des médecins, des infirmières, des aides, des infirmiers et de tout le personnel hospitalier pour le rôle qu'ils ont joué afin que nous venions au monde en bonne santé et sans danger.

Nous sommes redevables au système d'éducation qui nous apprend à lire, à écrire et à compter; ce sont là trois apprentissages très importants dans nos vies. Il est troublant de penser que quelqu'un a effectivement enseigné à Albert Einstein que deux plus deux font quatre.

Nous sommes redevables à tous les pasteurs, les prêtres et les rabbins qui nous ont enseigné l'essentiel de la vie en inculquant à notre sens moral des qualités d'une importance capitale, quel que soit notre champ d'action: l'athlétisme, la médecine, l'éducation, les affaires ou la politique.

Nous sommes assurément redevables à ces gens dont les témoignages furent encourageants et positifs, édifiants et instructifs.

Nous sommes vivement redevables à tous les employés de la fonction publique, nommés ou élus à leur poste, et qui

137

consacrent leur vie au service dans ce grand pays qui est le nôtre; il en va de même pour le facteur qui livre le courrier, les opérateurs de presses rotatives, les journalistes à qui incombe la responsabilité de faire imprimer les mots, et les ouvriers qui bâtissent les autoroutes sur lesquelles nous nous déplaçons d'un endroit à l'autre.

La liste est interminable, et cela nous ramène à la citation d'Albert Einstein. Nous avons accumulé une lourde dette et une façon de la rembourser est d'exprimer régulièrement nos remerciements et notre gratitude aux hommes et aux femmes qui font que nos vies valent la peine d'être vécues. Prenez le temps d'y réfléchir. Dites merci à beaucoup de gens! Vous vous ferez beaucoup d'amis et vous profiterez davantage de la vie.

———————

Un homme au téléphone: «Non, je ne suis pas du tout intéressé.» La vendeuse: «C'est très surprenant! Ce nouveau produit fantastique va résoudre tous vos problèmes.» L'homme
«Oh, je croyais que vous téléphoniez afin d'être payée pour tout ce que nous vous avons déjà acheté.»

Sam Walton était un homme du peuple

Les gens qui se montrent intéressés de façon intelligente sont foncièrement désintéressés car ils savent que c'est le meilleur moyen de parvenir en haut de l'échelle.

Je pense que Sam Walton a été reconnu et honoré par plus de gens que la plupart des autres hommes d'affaires de ce siècle. Il était vraiment un personnage unique. Je n'ai jamais eu le privilège de le rencontrer personnellement, mais j'ai côtoyé des gens qui l'ont bien connu. J'ai également lu ce qu'il a écrit et presque tout ce qui a été écrit à son sujet. J'en suis venu à l'admirer et à le respecter pour le grand être humain qu'il fut.

Plusieurs auteurs ont insisté sur son succès phénoménal, mais Sam lui-même résuma probablement le mieux son propre succès quand il disait: «Nous atteignons la réussite parce que nous repérons, nous recrutons et nous nous assurons les services des meilleurs individus.» Il affirmait avec conviction: «Nous sommes en affaires avec les gens.» La réalité est la suivante: Quel que soit notre type d'entreprise, nous sommes tous en affaires avec les gens car ce sont ces derniers qui alimentent l'entreprise à tous les niveaux.

Sam Walton avait aussi une vision et il avait pris le colossal engagement d'offrir au plus grand nombre de gens possible, le meilleur produit, au meilleur prix. Il remua ciel et terre pour atteindre cet objectif. Il implanta des filiales de son entreprise dans des petites villes qui, à cette époque, étaient essentiellement écartées du revers de la main par les autres organisations commerciales.

Sam Walton était un être innovateur. Il introduisit des méthodes et des procédures nouvelles en utilisant la technologie de pointe disponible. Il communiquait par satellite et téléphonait à ses directeurs une fois par semaine pour obtenir d'eux leurs rapports hebdomadaires, et les informer des nouveaux produits et des procédures à instaurer.

Sam Walton était un patron qui s'engageait vraiment et il versait à ses cadres supérieurs des salaires inférieurs à ceux des autres entreprises. Cependant, il offrait à tous ses cadres et employés la possibilité de devenir actionnaires de la société et, par conséquent, plusieurs d'entre eux devinrent riches. Il disait avoir découvert très tôt que le fait d'enrichir les autres l'enrichissait lui-même. Voilà une excellente philosophie à adopter et elle conviendra parfaitement à chacun de nous.

Une rencontre d'affaires est le genre de réunion au cours de laquelle tous s'entendent pour dire qu'un lunch gratuit ça n'existe pas. Et pourtant, ils affirment cela au moment même où ils en dévorent un.

Y a-t-il une seule route pour vous rendre à destination?

L'échec ne se trouve pas nécessairement au bout de votre route. Il est souvent le commencement d'un nouveau voyage plus passionnant encore.

Quelques mois précédant sa mort prématurée, j'aperçus ma fille Suzan dans le rétroviseur tandis que je roulais en direction du bureau. Suzan collaborait étroitement à ma rubrique que j'écrivais pour un journal et elle aussi se dirigeait vers le bureau. Elle me doubla une minute plus tard car elle roulait dans la voie rapide centrale tandis que je me trouvais dans la voie lente de droite. Quelques instants plus tard, je la doublai à mon tour, lui souris et la saluai au passage. Elle me dépassa de nouveau à quelques pâtés de maisons de là, arborant un large sourire qui semblait dire: «Tu vois, papa, la voie du centre c'est la meilleure.» Mais son triomphe fut de courte durée puisque je la doublai quelques rues plus loin.

Nous nous trouvions alors à quelques pâtés de maisons du bureau et la circulation devenait de plus en plus dense. Suzan décida de ne pas emprunter la bretelle sur laquelle je m'engageais pour me rendre au bureau, et elle me dépassa à vive allure. Au moment même où j'allais me garer, Suzan, qui avait choisi la route à la fois la plus longue et la plus rapide, était déjà en train de ranger son véhicule dans le parc de stationnement.

La première chose à retenir est la suivante: Nous ne devrions pas nous inquiéter outre mesure quand quelqu'un nous double ou prend la tête, que ce soit sur la route ou dans la vie. Dans le paysage toujours changeant de la vie, le soleil brille souvent pour une personne pendant quelque temps, puis, pour une autre. Le deuxième point à retenir est qu'il arrive parfois que le chemin le plus court ou le plus facile ne soit pas nécessairement le meilleur ou le plus rapide. Nous devons fréquemment faire des détours pour atteindre notre destination.

Si Suzan avait tenté d'emprunter la bretelle à partir de la voie du centre, cela aurait pu provoquer une catastrophe. Elle est arrivée dans le parc de stationnement à l'instant même où elle l'avait prévu car elle s'était auparavant montrée flexible et disposée à faire un détour. Un troisième point à retenir est que nous devrions tous nous montrer prêts et enthousiastes à apprendre des choses en nous inspirant du succès des autres. Quand quelqu'un se montre capable de nous dépasser et d'arriver avant nous, nous devrions lui dire: «C'est super! Comment y es-tu parvenu?» Réfléchissez-y.

«Accorder une augmentation d'indemnité aux membres du Congrès, c'est comme si on avait haussé la solde du capitaine du Titanic juste après la collision avec l'iceberg.»
(David Evans)

La persévérance rapporte vraiment

> *La persévérance est essentielle dans toute réussite.*
> *Oui, car comment diable deux escargots s'y*
> *seraient-ils pris pour parvenir jusqu'à l'arche de Noé*
> *n'eut été de leur persistance?*

Pendant huit années, un jeune écrivain tirant le diable par la queue écrivit un nombre incroyable de nouvelles et d'articles dans le but de les faire publier, et, pendant huit longues années on les refusa. Par bonheur, il n'abandonna pas et l'Amérique lui en sera éternellement reconnaissante.

Dans la marine, il passa le plus clair de son temps à rédiger une montagne de rapports et de lettres monotones. Il apprit l'art de dire les choses avec éloquence et concision. Après son passage dans la marine, il tenta avec l'énergie du désespoir de devenir écrivain, mais malgré ces huit années de persévérance et des centaines d'articles et de nouvelles, il fut incapable de vendre ne serait-ce qu'un texte. Toutefois, à une occasion, un éditeur écrivit un mot d'encouragement sur la lettre de refus qu'il lui fit parvenir. Ce mot se lisait simplement comme suit: «Bel effort.»

Vous conviendrez sans doute que la plupart d'entre nous n'auraient pas accordé une note élevée à cette petite annotation quant à l'encouragement qu'elle pouvait susciter; mais elle fit littéralement jaillir quelques larmes dans les yeux du jeune écrivain. Cela lui apportait un espoir renouvelé et il continua de persévérer. Il ne voulait tout simplement pas abandonner.

Finalement, après plusieurs années d'efforts, il écrivit un livre qui toucha profondément le monde entier et qui fit de lui un des auteurs les plus marquants des années 70. Je parle bien sûr d'Alex Haley et de son roman intitulé *Racines* qui allait être adapté pour le petit écran et devenir la mini-série la plus regardée de toute l'histoire de la télévision.

Le message est clair: Si vous avez un rêve et si vous croyez vraiment posséder un quelconque talent appelé un jour à s'exprimer, poursuivez ce rêve, et n'abandonnez pas. Accrochez-vous-y! Qui sait? Il se peut que lors d'une prochaine tentative, quelqu'un vous dise: «Bel effort.» Ce sera peut-être la dose d'encouragement dont vous aurez besoin. Souvenez-vous que la réussite pourrait bien se trouver juste au coin de la rue, de l'autre côté de cette colline, ou le dénouement de votre prochaine expérimentation.

Je mérite une promotion depuis très longtemps. J'ai fait tellement de compromis que je ne me possède plus.
(Argent et affaires)

Tout peut arriver, et il en est souvent ainsi

Le critique aborde un problème pour y attirer l'attention et affermir sa propre autorité ou sa compétence. L'entraîneur aborde un problème dans le but de s'y mesurer et d'en tirer parti.

L'un des clichés du sport professionnel est qu'à n'importe quel jour de l'année, dans n'importe quelle ville donnée, une équipe de sport professionnel peut en vaincre une autre. Le classement de ces équipes au palmarès des victoires et des défaites importe peu dans ce genre de conjecture. Cela est tout aussi vrai dans le contexte de la compétition individuelle où les joueurs sont talentueux et déterminés à faire de leur mieux.

Le 28 mai 1983, Kathy Horvath avait toutes les raisons du monde de croire à sa propre défaite quand elle affronta Martina Navratilova. Kathy était classée 45e au monde au tennis; Martina était classée 1re, venait de remporter 36 matchs consécutifs, et n'en avait perdu aucun au cours de l'année. Sa fiche, en 1982, était de 90 victoires et de seulement 3 défaites qu'elle avait subies lors de matchs l'opposant à des joueuses aussi bien classées que Chris Evert Lloyd et Pam Shriver. De plus, Kathy Horvath n'avait que 17 ans et elles jouèrent devant 16 000 spectateurs.

Comme cela arrive souvent lors de tels matchs, Kathy connut un départ rapide et remporta le premier set au compte de 6 à 4. Martina revint en force lors du second set et balaya littéralement Kathy du court en l'emportant 6 à 0. Quand elles débutèrent le dernier set, le match était on ne peut plus serré. Elles étaient à égalité 3 à 3, et Martina servait. À la surprise générale, Kathy, celle que l'on donnait perdante au cours d'une victoire écrasante, remporta le set et le match. Quelqu'un lui demanda quelle avait été sa stratégie et Kathy répondit: «J'ai joué pour gagner.»

Cela en dit long. Trop de gens jouent pour ne pas perdre; Kathy Horvath jouait pour gagner. Je vous exhorte à jouer pour gagner.

L'instructeur-chef de base-ball Casey Stengel dit au receveur Joe Garagiola: «Joe, quand on «dressera» la liste de tous les grands receveurs, tu seras là attentif, «dressant» l'oreille.»

Les grands événements n'obtiennent pas toujours l'attention méritée

Accomplir des choses ordinaires d'une façon extraordinaire vous assurera un avenir extraordinaire.

L a plupart des gens ont entendu parler du feu de Chicago qui éclata le 8 octobre 1871, qui coûta la vie à plus de

200 personnes, et détruisit plus de 17 000 immeubles. Cette tragédie fut le sujet de plusieurs chansons et d'au moins un film, sans parler des centaines d'articles qui en ont traité et des milliers de fois où on en a fait mention aux actualités.

Toutefois, bien des gens ne savent pas que le feu éclata aussi à Peshtigo, dans le Wisconsin, en cette même journée fatidique du 8 octobre 1871. Ce brasier réclama la vie de plus de 1 500 victimes et consuma plus de 512 000 hectares de régions boisées. Il faut bien sûr tenir compte du fait qu'à cette époque les médias d'information étaient concentrés à Chicago et autour de la ville tandis que Peshtigo était une petite ville située hors des sentiers battus. Par conséquent, on n'a donc porté qu'une attention minime à son incendie. Je crois que nous serions tous d'accord pour dire que l'incendie de Peshtigo fut très grave, mais étant donné le peu de publicité entourant cette tragédie, très peu de gens sont au courant du feu de Peshtigo.

Cela se produit souvent dans la vie. Par exemple, mère Teresa fut célèbre dans le monde entier pour ses incroyables bonnes actions et son engagement à aider ceux qui ne pouvaient s'aider eux-mêmes. Elle fuyait toute publicité et n'apparaissait en public que pour encourager les gens à faire des contributions à cette cause qui lui tenait tant à cœur.

Il y a littéralement des milliers de personnes qui posent chaque jour des gestes remarquables, soit pour aider un voisin, un sans-abri, ou ceux-là privés de chauffage ou de nourriture à mettre sur leur table. Ces anges de miséricorde silencieux posent ces gestes d'abord et avant tout parce qu'ils le veulent bien, et parce qu'ils se sentent responsables de leurs frères humains. La joie et la satisfaction d'accomplir quelque chose sans rien espérer en retour, ni reconnaissance, ni récompense, sont les seuls salaires que ces héros méconnus souhaitent.

Ils font leurs bonnes actions pour des motifs désintéressés. Si ces gens-là n'existaient pas, qui sait dans quel état serait notre monde? Personnellement, je ne sais pas exactement où on en serait, mais je peux vous assurer d'une chose, notre monde serait bien pire qu'en ce moment. Devenez pour les autres un «faiseur» de différences, cela changera quelque chose et fera toute la différence dans votre vie.

Les politiciens qui vous font des promesses en l'air s'apprêtent à se servir de votre fric.

Des négociations gagnantes de part et d'autre

Le tact est l'art de faire valoir ses arguments sans se faire un seul ennemi.

*P*resque tout dans la vie requiert certains talents de vendeur ou de négociateur. Les négociations sont plus faciles quand nous sommes en position de force, comme le fait d'avoir une absolue confiance en son produit. Il est également utile de posséder un atout en réserve (un argument convaincant lors des négociations) qui nous permet d'influencer l'autre partie d'une façon avantageuse pour nous.

J'aime bien cette histoire parue dans le magazine *Personal Selling Power*. Quand les automobiles Renault construites en France furent exportées au Japon, les Japonais exigèrent une inspection individuelle de chaque véhicule. D'autre part, les Français permettaient l'importation de voitures japonaises dans leur pays, sur la base d'une inspection type, qui consiste à inspecter au hasard un seul véhicule de la même marque. Il va de soi que cette entente est inéquitable.

Le président français François Mitterrand ne protesta pas publiquement. Au lieu de cela, il ordonna que tous les magnétoscopes japonais soient inspectés un à un. Il insista également pour que l'importation de ces magnétoscopes se limite à un seul port du sud de la France. Dans ce port, deux inspecteurs des douanes aux mouvements plutôt lents avaient reçu l'ordre de vérifier systématiquement et minutieusement les dizaines de milliers de magnétoscopes japonais qui s'accumulèrent bientôt rapidement sur les quais.

En fait, le gouvernement japonais comprit très vite que les murs qu'il avait érigés lors de cette entente, et ceux que les Français avaient eux-mêmes construits en réponse à une situation qu'ils jugeaient inéquitable, coûtaient aux citoyens des deux pays beaucoup de temps et d'argent. Par suite de brèves négociations, les voitures Renault commencèrent à entrer au Japon à un rythme accéléré tandis que l'importation des magnétoscopes japonais en France reprit son cours normal.

Si ma mémoire est fidèle, il n'y eut aucune menace et aucun battage publicitaire. Les Français avaient adopté dans le calme une attitude ferme, et les Japonais avaient rapidement effectué les changements qui s'imposaient. Les négociations avaient été habiles et résultèrent en une victoire pour les deux parties. N'oubliez jamais cette leçon fondamentale dans la vie: Si vous concluez n'importe quelle transaction ou entente de telle sorte que les deux parties gagnent, les meilleurs intérêts des deux parties à longue échéance seront bien servis.

Le président du conseil d'administration: «Afin de m'assurer de toute votre attention, je n'annoncerai qu'à la fin de la réunion le nom de la personne qui rédigera le procès-verbal.»

«... afin d'aider les autres gens...»

«L'homme occupé à accomplir une tâche très difficile,
et qui y parvient avec brio,
ne perdra jamais le respect de soi.»
George Bernard Shaw

J'ai édifié ma vie et mes affaires sur un concept, à savoir que vous pouvez obtenir tout ce que vous voulez dans la vie si seulement vous aidez suffisamment de gens à obtenir ce qu'ils veulent. Sam Walton l'exprime en ces termes: «J'ai compris rapidement que je m'enrichissais également moi-même chaque fois que j'enrichissais les autres.» On nous enseigne chez les scouts à faire chaque jour une bonne action. Récemment, j'eus l'occasion d'aider une femme incapable physiquement de soulever sa valise et de la placer dans le compartiment situé au-dessus des sièges dans un avion. Elle me remercia avec profusion et je lui dis en riant: «Eh bien, cela m'a donné l'occasion de faire ma bonne action de la journée, et je vous en remercie.» Cette idée d'une bonne action chaque jour tire son origine de ce que j'ai appris alors que j'étais scout. J'entends encore de temps en temps des gens répéter cette même phrase à travers tout le pays: «Vous m'avez donné l'occasion de faire ma bonne action aujourd'hui.» Il s'agit là d'une merveilleuse philosophie.

L'un des faits les plus fascinants de la vie est le suivant: quand vous faites une bonne action envers autrui, sans rien attendre en retour, vous en retirez finalement des avantages importants. Du point de vue scientifique, quand vous accomplissez cette bonne action, votre cerveau reçoit un apport important de sérotonine, ce neurotransmetteur qui nous amène à dire «je me sens bien». Il nous procure aussi de l'énergie et donne une grande portée au caractère pratique de la promesse scoute. Une étude publiée dans le *Psychology Today* révèle que les personnes qui s'activent dans leur collectivité, à accomplir des choses pour des gens qui ne peuvent pas les faire eux-mêmes, sont physiologiquement stimulées et aptes à obtenir plus de succès dans leur propre carrière.

Je suis évidemment persuadé que le garçon de 13 ans typique qui prononce la promesse scoute n'est pas conscient de toutes ces choses-là, mais cela ne réduit pas le nombre de bienfaits que le scout peut retirer en accomplissant une bonne action chaque jour. Il est peut-être superflu de vous dire que le scoutisme m'enthousiasme, et j'espère qu'il en va de même pour vous. (Pour plus d'informations, veuillez contacter les Scouts d'Amérique dont le numéro de téléphone se trouve dans votre bottin téléphonique local).

Une femme dit à une amie: «Nous sommes encore et toujours en train d'organiser les préparatifs en vue du mariage.
Je veux me marier et lui ne veut pas.»
(H. Bosch)

Réagissez bien ou opposez de la résistance

«J'ai découvert que les hommes et les femmes qui ont atteint les sommets sont ceux-là qui ont accompli le travail en chantier avec tout ce qu'ils possèdent d'énergie, d'enthousiasme et d'ardeur à la tâche.»
Harry Truman

Quand vous réagissez bien face à la vie, cela est positif; quand vous opposez de la résistance face à la vie, cela en soi est négatif. En voici un exemple: vous tombez malade et vous vous rendez chez votre médecin. Il y a de fortes chances qu'après vous avoir examiné il vous remette une ordonnance et vous demande de revenir le voir dans un certain nombre de jours. Si, à votre rendez-vous suivant, le médecin se met à secouer la tête et vous dit: «Il semble que votre corps oppose de la résistance au médicament; nous allons devoir changer de remède», vous deviendrez probablement quelque peu nerveux.

Cependant, si le docteur sourit et vous dit: «Vous avez l'air en pleine forme! Votre corps réagit très bien au médicament», vous vous sentirez alors soulagé. Oui, il s'avère une bonne chose de bien réagir face à la vie. Opposer une résistance face aux incidents de la vie est en soi négatif, et c'est regrettable. Le prochain exemple vient confirmer ce fait.

Il y a aujourd'hui bien des turbulences dans le marché du travail, et beaucoup de gens perdent leur emploi à cause des réductions d'effectifs, des fusions, et des prises de contrôle d'entreprises. Cela crée des opportunités inhabituelles pour plusieurs. Un aspect positif de cette tendance est qu'au cours des cinq dernières années, selon le *Wall Street Journal*, plus de quinze millions de nouvelles entreprises ont été créées, dont plus de la moitié par des femmes. Bien peu d'entre elles avaient de véritables compétences dans le domaine de la commercialisation, et toutes avaient besoin d'un grand soutien financier.

La plupart de ces nouvelles entreprises étaient en fait des sociétés fiduciaires, ce qui signifie que les femmes collectaient l'argent avant même de livrer des biens ou services. Le *Wall Street Journal* souligne que pratiquement aucune de ces femmes, s'occupant d'une société fiduciaire, n'a été poursuivie et emprisonnée pour n'avoir pas livré des biens ou services. C'est formidable!

Beaucoup de ces nouvelles entreprises, peut-être bien la plupart, n'auraient jamais vu le jour si un malheureux événement ne s'était pas produit dans la vie de ces gens. Quand ces événements survinrent et que les besoins devinrent manifestes, ces femmes choisirent de bien réagir, et il ne fait pas de doute que plusieurs d'entre elles se trouvent maintenant dans de meilleures conditions qu'avant la «tragédie».

Le message est clair: Si vous réagissez bien à la vie au lieu d'y opposer de la résistance, vous aurez alors une bien meilleure chance d'atteindre la réussite.

Une femme dit à sa voisine: «J'ai la plus merveilleuse des recettes pour un pain de viande! Je n'ai qu'à en parler à mon mari pour qu'il me réponde spontanément: «Allons plutôt au restaurant.»»

Un collège qui fait des merveilles

> **«On peut mesurer l'intelligence d'un homme à ses réponses, et sa sagesse aux questions qu'il pose.»**
> Naguib Mahfouz

Le collège St. John compte environ 400 étudiants qui fréquentent les deux campus, celui d'Annapolis, dans le Maryland, et celui de Santa Fe, au Nouveau-Mexique. Les administrateurs se sont mis dans la tête l'idée que certains auteurs et certains livres sont meilleurs que d'autres; donc plutôt que de laisser les étudiants faire le tri et choisir, ils servent le même menu à tous et chacun: du grec, du français, de la musique, des mathématiques et des sciences. Pendant quatre ans, les élèves suivent un «régime» des grands ouvrages de Platon, Durante Alighieri Dante, Francis Bacon, David Hume, Emmanuel Kant, Sören Kierkegaard, Albert Einstein, William Edward Burghart Du Bois, et Booker T. Washington.

Selon un article paru dans la revue *American Way*, le collège St. John s'accroche à cette notion médiévale selon laquelle toutes les connaissances forment un tout, et à cet idéal de l'homme de la Renaissance selon lequel toute personne réellement éduquée connaît beaucoup de choses dans bien des domaines. Il y a plus étrange encore à St. John: on n'y trouve ni examens finals, ni aucune formation professionnelle, peu de rencontres athlétiques intercollégiales, aucune association de camarades de classe ou de cercle d'étudiantes, et très peu de cours facultatifs. Un autre trait encore plus singulier de cette institution est que les professeurs de St. John ont été formés dans le but d'enseigner tous les livres, allant du traité d'Euclide sur la géométrie à ceux de Nicolas Machiavel sur la politique, et de Werner Karl Heisenberg sur la mécanique quantique.

Le collège St. John oblige ses étudiants à assumer l'essentiel de la responsabilité de leur éducation. Les sessions d'enseignement ou de cours particuliers sont pour la plupart ouvertes aux discussions: chaque étudiant y exprime ses opinions, introduit certaines idées, et incite les autres à la réflexion. Les administrateurs croient que nous devons apprendre ensemble, et non par nous-mêmes. Les livres inscrits au programme sont terriblement difficiles et hermétiques, et «vous devez faire appel à des confrères de classe pour vous aider à comprendre.»

Une question: Est-ce que ça fonctionne? La réponse: Oui. Soixante-dix pour cent des diplômés se retrouvent au troisième cycle universitaire à l'intérieur des cinq années suivant leur remise des diplômes; et le collège occupe le cinquième rang à l'échelle nationale en ce qui a trait au nombre de diplômés obtenant des doctorats dans les sciences humaines. Environ 19% des diplômés du collège de St.John deviennent professeurs ou administrateurs. Vingt-sept pour cent des diplômés se répartissent dans tout l'éventail professionnel, travaillant soit pour le gouvernement, les affaires publiques, dans le domaine de l'informatique, en ingénierie, et ainsi de suite. Un autre 20% font carrière dans le domaine des affaires et celui de la finance; 8% s'orientent vers le droit, et presque 7% se consacrent à la santé et à des carrières médicales.

Il semble bien que le collège St. John ait touché une corde sensible. Il serait peut-être souhaitable que plus de collèges adoptent cette même attitude.

Écouter le discours typique d'un politicien, c'est comme manger du saucisson. Vous pouvez le découper n'importe où, ça reste toujours du saucisson.

Soyez reconnaissant de vos problèmes

La seule façon de traverser la vie sans trop de difficultés, c'est d'aller dans le sens de la descente sur un terrain en pente.

Nous avons tous souvent affaire à des gens qui se plaignent des épreuves de leur vie quotidienne. Il semble que la vie représente pour eux un gros problème. J'aimerais aborder cette question d'une façon réaliste, en faisant appel au bon sens, et m'adresser à ces gens qui ont cette mentalité. Si aucun problème ne se posait dans le cadre de votre travail, votre employeur engagerait alors une personne beaucoup moins compétente que vous pour accomplir les gestes routiniers qui exigent peu de réflexion. Dans le monde des affaires, ceux qui ont la capacité de résoudre des problèmes complexes se révèlent être les employés les plus précieux aux yeux de leur employeur.

Les problèmes ou les défis auxquels nous faisons face nous forcent souvent à grandir et à devenir plus compétents. Le coureur qui s'entraîne pour la course de 1600 mètres aux Jeux olympiques en descendant une côte en courant n'aura aucune chance de mériter la médaille. Par contre, le coureur qui s'entraîne à courir dans la montée d'une côte a de loin beaucoup plus de chances de développer sa vitesse, sa force mentale et l'endurance nécessaires pour remporter la médaille.

La meilleure chose qui soit jamais arrivée au boxeur Gene Tunney fut de se fracturer les deux mains à la boxe. Son entraîneur crut qu'il ne pourrait plus jamais frapper assez fort pour devenir le champion de la catégorie poids lourd. Au lieu de cela, Gene Tunney choisit de boxer avec science et de remporter le titre en tant que boxeur, et non pas en tant que banal «cogneur». Les historiens de la boxe vous diront qu'il se transforma en l'un des meilleurs boxeurs qui ait jamais combattu. Ils vous démontreront aussi qu'en tant que puncheur, il n'aurait eu aucune chance contre Jack Dempsey, considéré par plusieurs comme le plus solide puncheur de toute l'histoire des poids lourds. Gene Tunney ne serait jamais devenu champion s'il n'avait pas eu à affronter le problème de ses mains fracturées.

Le message est le suivant: La prochaine fois que vous aurez à faire face à une montée difficile, à un obstacle, ou à un problème, il vous faudrait sourire et vous dire à vous-même: «*Voici ma chance de grandir.*»

―――――――――――

Le fait qu'il y ait beaucoup de joueurs invétérés en ce monde prouve une chose: les hommes et les femmes sont les seuls animaux qui peuvent être dépouillés plus d'une fois.

―――――――――――

Quel âge avez-vous?

> «*La meilleure façon de faire face au changement est de participer à son élaboration.*»
> Robert Dole

Vous connaissez probablement des quadragénaires qui ont l'air «vieux» et des septuagénaires qui ont l'air «jeunes». Je dis cela car je crois que la plupart des lecteurs de ce livre font confiance au *dictionnaire Noah Webster de 1828*. À aucun moment le dictionnaire Webster ne fait allusion à l'âge d'une personne. Il définit le mot *vieux* par «qui a fait son temps; qui appartient au passé; qui est usé, fatigué». Je ne peux pas imaginer que vous puissiez invoquer un seul de ces adjectifs pour décrire ce que vous ressentez face à la vie.

Le Webster dit que le mot *jeune* signifie «être jeune de corps, d'esprit et de sentiments.» Il s'agit là de ma définition préférée, et au risque de paraître présomptueux, je crois qu'elle décrit parfaitement ce que je suis et ce que je ressens face à la vie.

Ralph Waldo Emerson fit un jour la remarque suivante: «Nous ne comptons pas le nombre d'années vécues par un homme, tant et aussi longtemps que plus rien d'autre ne compte pour lui.» J'aime Caleb, ce héros de l'Ancien Testament qui, à l'âge de 85 ans, demanda qu'on lui permit de se rendre au sommet de la montagne où se trouvaient les géants. Il croyait pouvoir se débarrasser d'eux et il affirma se sentir aussi vigoureux et bien portant qu'à 40 ans. Il avait apparemment raison puisqu'on ne trouve plus de géants de trois mètres sur cette montagne.

Quelqu'un a déjà dit que «toute vieillesse harmonieuse est la récompense d'une jeunesse utilisée à bon escient.» Cette affirmation rejoint les propos du psychiatre Smiley Blanton: «Je n'ai jamais constaté ne serait-ce qu'un seul cas de sénilité chez les personnes âgées, quel que soit leur âge, tant et aussi longtemps qu'elles conservent un vif intérêt pour les autres êtres humains, et pour les choses qui les environnent.» Quant à moi, et me fiant à d'autres sources, je n'irais pas jusqu'à dire cela, mais je crois que l'Alzheimer est une maladie tandis que la sénilité, dans plusieurs cas, découle directement d'une longue série de mauvais choix.

Adoptez des habitudes saines et raisonnables, faites de l'exercice sur une base régulière. Continuez d'apprendre de nouvelles choses, remplissez votre esprit de bonnes pensées, convenables, pures et puissantes chaque jour de votre vie, et je crois que vous pourrez bien vivre aujourd'hui et finir en beauté.

Ne critiquez pas les défauts de votre conjoint. Ce sont ces mêmes défauts qui l'ont empêché de trouver une meilleure conjointe. Et vice versa.

De bonnes nouvelles dans le journal

> **Nous découvrons des obstacles quand nous détournons les yeux de nos objectifs.**

A u cours des années, j'ai entendu bien des gens affirmer qu'ils ne lisaient plus les journaux. Ils disent qu'on y retrouve trop de mauvaises nouvelles et pas assez de bonnes nouvelles. Voilà pourquoi je fus impressionné quand les agences de presse AP et UPI rapportèrent des histoires à vous réchauffer le cœur concernant deux personnes exceptionnelles.

L'agence Associated Press raconta l'histoire de Dung Nguyen. Quand elle arriva aux États-Unis en provenance du Viêt-nam, elle ne disait qu'un seul mot en anglais. Huit ans plus tard, elle fut la diplômée choisie par son école secondaire pour prononcer le discours d'adieu à Pensacola, en Floride. Ses hauts faits furent tellement remarquables que le président lui téléphona pour la féliciter. Cet appel l'enthousiasma, mais elle était encore plus transportée par cette chance que lui avait offerte l'Amérique.

L'agence United Press International rapporta une histoire très différente mais tout aussi excitante et encourageante à propos de Geraldine Lawhorn. Geraldine était l'une des diplômées les plus âgées de sa classe à l'université Northeastern, dans l'Illinois. Ce qu'il y a de peu commun chez Geraldine c'est qu'elle ne peut ni voir ni entendre. À vrai dire, elle n'était que la sixième personne, sourde ou aveugle, à recevoir un diplôme d'une université. Quand on l'interrogea à propos de ses remarquables réalisations, Geraldine répliqua: «Nous partageons tous les mêmes objectifs, mais nous devons emprunter des routes différentes.»

Le fait de vous fixer des objectifs est une chose très personnelle, et ce qui marche pour vous ne fonctionnera pas nécessairement pour quelqu'un d'autre. Mais il y a un principe qui a fonctionné pour Dung Nguyen et Geraldine Lawhorn, et qui agira de même pour vous, ou pour n'importe qui d'autre. Elles n'ont jamais renoncé. Ces deux femmes ont envisagé les obstacles qui se dressaient devant elles et y ont vu des défis et des perspectives d'avenir. Ce qu'il y a de passionnant dans leurs démarches respectives, c'est que vous pouvez suivre leur exemple et atteindre la réussite comme elles l'ont fait.

Lors d'un test sur le quotient intellectuel, la question suivante fut posée à un banquier, à un électricien et à un politicien: «Quel terme utiliseriez-vous pour décrire le problème qui surgit quand la sortie excède l'entrée de capital? Le banquier écrivit un «découvert», l'électricien écrivit une «surcharge», et le politicien écrivit: «Quel problème?»

«N'y pense plus»

L'attitude des gens quand ils jouent révèle une partie de leur caractère. Leur façon de perdre le dévoile complètement.

Au cours des deux premières années et demie où j'ai travaillé dans le domaine des ventes, je vivais dans un monde de hauts et de bas, dans lequel les hauts se faisaient plutôt rares. À chaque année, pendant la dernière semaine du mois d'août, notre entreprise organisait une semaine de promotion des ventes à l'échelon national au cours de laquelle on nous encourageait à ne faire rien d'autre que de vendre, vendre, vendre. Cela s'avéra pour moi une expérience qui changea ma vie.

Au cours de cette première semaine de promotion des ventes, après avoir finalement forcé la cadence, j'ai réalisé deux fois et demie plus de ventes que je n'en avais jamais conclues en une seule semaine. À la fin de celle-ci, je roulai jusqu'à Atlanta, en Géorgie, afin de passer le reste de la nuit en compagnie de Bill Cranford qui m'avait initié au monde des affaires. J'arrivai à trois heures du matin et, au cours des deux heures et demie qui suivirent, j'ai raconté à Bill ma fabuleuse semaine dans les moindres détails; je lui fis une description intégrale et ininterrompue de chacun de mes appels. Bill souriait sans s'impatienter, approuvait d'un signe de tête, et disait: «C'est bien! C'est très bien!»

Vers 5 h 30 du matin, je pris conscience que je n'avais pas encore demandé à Bill comment il se portait, ou comment allaient ses affaires. Je me suis senti très mal à l'aise et lui ai dit: «Bill, je suis désolé! Je n'ai fait que parler de moi. Comment vas-tu?»

Bill, comme lui seul sait le faire, me répondit avec obligeance: «Zig, n'y pense plus! Tout satisfait que tu sois des résultats de ta semaine, tu es loin d'en être aussi fier que moi. Vois-tu, Zig, je t'ai recruté, je t'ai appris les notions fondamentales, je t'ai encouragé quand tu étais abattu, puis, je t'ai vu grandir et acquérir de la maturité. Zig, tu ne sauras jamais tout ce que je ressens tant et aussi longtemps que tu n'auras pas éprouvé la joie d'éduquer, de former, et d'enseigner à quelqu'un d'autre qui est déjà doté de dispositions naturelles.»

Quand je pense à ces événements, je me rends compte que le concept, sur lequel j'ai bâti ma vie et ma carrière, commença à se développer dès cette époque: à savoir que vous pouvez obtenir tout ce que vous voulez dans la vie si vous êtes prêt à aider suffisamment d'autres gens à obtenir ce qu'ils désirent. Mettez à l'essai cette philosophie. Elle produit l'effet souhaité car il s'agit en fait de la règle d'or exprimée d'une manière différente.

Les temps changent. Un garçon revint à la maison et annonça à son père qu'il était le deuxième de sa classe. Une fille avait mérité le premier rang. Son père lui dit: «Mon garçon, tu ne te laisseras sûrement pas devancer par une simple fille.» Le garçon répliqua: «Eh bien, comprends-moi bien papa, les filles ne sont plus aussi simples qu'avant.»
(Executive Speechwriter Newsletter)

Ayez un esprit chercheur

«Une erreur est un événement dont tout le profit n'a pas encore tourné à votre avantage.»
Edwin Land

Franklin Holmes est un aumônier volontaire qui œuvre dans des prisons au Tennessee, en Géorgie, et en Floride. Utilisant une des pages de mon livre *Rendez-vous au sommet*, l'aumônier Holmes enseigne dans les prisons un programme traitant de l'importance de découvrir ce qu'il y a de positif dans toutes les situations. Cela peut sembler incroyable, mais des hommes et des femmes ont relevé plus d'une trentaine d'avantages qu'ils apprécient dans les prisons où ils sont incarcérés. Ils n'aiment pas être enfermés, mais ils le sont, et ils comprennent également que c'est là la meilleure façon de rendre leur séjour plus tolérable, et même bénéfique.

Voici une liste partielle de ce qu'ils apprécient:

1. Les programmes d'autonomie personnelle, les programmes offerts par les différentes confessions, et l'étude de la Bible.

2. Sortir à l'extérieur et travailler.

3. Le magasin et la bibliothèque dans la prison.

4. La cour extérieure, une partie de la nourriture, et le gymnase.

5. Avoir la possibilité d'aller à la chapelle pour y jouir de la paix et de la tranquillité.

6. Les films que l'État leur prête pour visionner durant les week-ends, et quelques-uns des gardiens.

7. L'obtention de fiches d'encouragement et la possibilité de rester honnêtes.

8. Avoir le temps de déterminer à quel moment ils se sont écartés du droit chemin, et avoir la possibilité d'utiliser leur temps avec sagesse.

9. Ne pas être regardés continuellement de haut dans leurs dortoirs.

10. Avoir la possibilité de changer leurs attitudes et leurs comportements et d'affermir leur foi.

11. Être en mesure de mettre en pratique leurs objectifs et de cultiver leurs rapports avec les autres.

12. «Faire leur temps de taule» au lieu que ce soit «leur temps de prison qui les détruit».

13. Les tâches qu'on leur assigne et qui comportent des moments de liberté et de la flexibilité.

14. L'emplacement de la prison dans les montagnes et dans les collines basses.

15. Le grand choix de livres en bibliothèque et la disponibilité du journal local.

16. La possibilité d'assistance sociopsychologique, de visites «contacts», et de recevoir des colis de la maison.

17. Des vêtements neufs et la possibilité d'y apporter des retouches.

18. Avoir accès aux soins dentaires et médicaux.

19. Les différentes formations offertes, les visites, et les programmes incitatifs.

20. Avoir accès à une bibliothèque spécialisée dans le droit.

Ces hommes et ces femmes peuvent relever 38 avantages qu'ils apprécient dans leur lieu d'incarcération. Nous pouvons sûrement découvrir plusieurs avantages que nous apprécions dans la vie, en ce qui a trait à ce que nous sommes, à ce que nous faisons, à l'endroit où nous habitons, aux gens avec qui nous vivons, et aux occasions que la vie nous présente. Ayez un esprit chercheur, avide de découvertes, et vous serez beaucoup plus heureux dans la vie.

Si vous vous attendez à réussir dans la vie, souvenez-vous que le fait de fournir un effort intense et momentané aujourd'hui et d'en fournir un autre demain ne fera pas de vous un expert.

Le stress, est-ce bon ou nocif?

Bien géré, un certain niveau de stress peut jouer en notre faveur.

S elon la définition du *Dictionnaire Noah Webster* de 1828, le mot *stress* signifie «contraindre ou surmener.» C'est à la fois «l'urgence, la pression, la gravité.» C'est «se focaliser, concentrer son attention pour accentuer fortement». Quand nous examinons toute la définition du mot stress dans le dictionnaire, nous découvrons qu'il peut être soit bénéfique ou nocif. Trop de stress occasionnera en nous une perte de sommeil, nous rendra nerveux et irritable, et nous fera faire de l'hypertension. Par contre, si nous ne ressentons aucun stress, il se peut que nous n'attachions alors aucune signification à ce que nous faisons. Cela peut s'avérer aussi nocif que le fait de subir trop de stress. Pour ce qui est du stress, il semble que l'équilibre dans nos vies en soit la clé.

Comment devons-nous nous y prendre face à des situations de stress relativement mineures (augmentation temporaire de notre tâche au travail, un léger découvert à la banque, l'automobile doit subir des réparations coûteuses, etc...) pour ramener le stress à un niveau acceptable? Il s'agit là d'un domaine où nos sentiments sont extrêmement importants. La plupart d'entre nous ont parfaitement conscience de ces instants où ils ressentent trop de stress; analysons donc quelques méthodes afin de le réduire quand surgissent des facteurs de stress relativement mineurs.

Vous devez découvrir la cause du stress. S'agit-il d'une mésentente avec un collègue de travail ou un membre de la famille? Ce stress s'insinue-t-il au cœur de vos responsabilités au point où vous perdez une juste perspective des facettes quotidiennes d'un style de vie bien équilibré? Si tel est le cas, que pouvez-vous y faire?

Premièrement, s'il s'agit d'un problème de relations personnelles, prenez le temps d'en discuter. Essayez de vous mettre à la place de l'autre. Si vous vous êtes trompé, admettez-le et faites des excuses. Vous ne perdrez pas la face. Vous serez davantage respecté car vous aurez admis que vous êtes plus sage aujourd'hui que vous ne l'étiez hier.

Deuxièmement, trouvez une façon de relâcher la pression. Allouez-vous du temps pour vous-même, ne serait-ce que quelques minutes. Lisez un livre reposant, faites une promenade, de la relaxation, ou changez de décor, cela pourrait accomplir des merveilles. Mettez donc ces mesures en pratique afin de réduire votre stress.

« En 1492, Christophe Colomb ne savait pas où il allait, son équipage se mutina, et il dépendait financièrement des gens à qui il avait emprunté de l'argent. Aujourd'hui, il serait sûrement candidat dans le domaine de la politique. »
(Orben's «Current Comedy»)

Il n'est pas devenu amer, il est devenu meilleur

> *Quand des difficultés et des problèmes surgissent sur votre route, souvenez-vous que le seul chemin qui mène jusqu'au sommet de la montagne passe par la vallée.*

Neal Jeffrey est un de mes personnages préférés et il est sans l'ombre d'un doute l'un des meilleurs communicateurs en Amérique. En tant que quart-arrière, Neal a mené son équipe de football, les Baylor Bears, au championnat de la Southwest Conference en 1974. Aujourd'hui, il prend régulièrement la parole en présence de plusieurs groupes de jeunes et devant des adultes du monde des affaires. Il est assurément l'un des orateurs les plus humoristiques, les plus sincères et les plus compétents qu'il m'ait été donné d'entendre. Neal présente la particularité d'être bègue. Toutefois, il a choisi de faire du bégaiement un atout plutôt qu'un problème.

Réfléchissez un instant à ce que vous venez tout juste de lire. Un quart-arrière couronné de succès et un orateur public qui bégaie sont inconciliables dans l'esprit de la plupart des gens. Neal Jeffrey a transformé son handicap en quelque chose de positif. Quand il s'adresse à un auditoire, après quelques minutes, il fait toujours remarquer aux gens qu'il bégaie, au cas où ces derniers ne s'en seraient pas aperçus. Il ajoute ensuite en arborant un grand sourire: «Il m'arrive parfois de balbutier quelque peu. Mais ne vous en faites pas. Je vous garantis que je parviens toujours à dire ce que je veux dire!» Le public réagit chaque fois avec enthousiasme.

Neal est l'exemple classique d'un individu hors du commun qui a choisi de faire d'un obstacle un avantage. Cet obstacle a contraint Neal à devenir plus créatif, à lire davantage, à faire plus de recherches et d'études afin de transformer, dans les meilleures conditions possibles, ce désavantage en avantage. Voici ce qu'il en a résulté: Neal n'est pas devenu amer, il est devenu meilleur. Il est maintenant un meilleur individu grâce à son bégaiement et non pas en dépit de ce handicap. Neal a atteint un objectif après l'autre dans toutes les sphères de sa vie. Je crois que vous pouvez faire de même.

Nous avons tous des désavantages légers qui peuvent nous freiner ou nous propulser vers l'avant. Dans la plupart des cas, il nous appartient de choisir. Par conséquent, regardez en face vos obstacles ou vos handicaps personnels, acceptez-les et faites-en l'évaluation, puis, trouvez une façon de les transformer en atouts.

Le professeur: «Greg, veuillez expliquer à la classe ce que veut dire le mot compromis.» Greg: «Un compromis est un accord à la suite duquel deux personnes obtiennent ce que ni l'une ni l'autre ne voulait.»

«Professionnel de la vente, exprime-toi simplement»

Voici deux façons d'échouer à coup sûr: Songer à accomplir des choses et ne jamais les faire, ou accomplir des choses et ne jamais penser.

Quand j'ai commencé ma carrière de professionnel de la vente, une des premières choses qu'on m'a apprises fut le slogan suivant: «Professionnel de la vente, exprime-toi simplement.» Communiquez de telle sorte que votre message soit on ne peut plus clair. Si votre message n'est pas limpide, le client éventuel finit par être confus, et une personne confuse passe rarement aux actes.

Ce conseil peut être suivi dans tous les domaines qui exigent que l'on soit compétitif. Dans le marathon, par exemple, on fait aujourd'hui appel à des psychologues spécialisés dans le sport, à des programmes d'entraînement informatisés, et à des chaussures de course dernier cri. Il se peut que toutes ces choses soient nécessaires si voulez remporter une course vraiment importante, et je ne nie pas le fait qu'elles puissent aider, mais Toshihiko Seko n'en a pas eu besoin pour gagner le marathon de Boston.

Je fus énormément impressionné par la victoire de Toshihiko Seko lors du marathon de Boston de 1981. Son programme d'entraînement était la simplicité même, et Toshihiko le résuma en quelques mots: «J'ai couru 10 kilomètres le matin et 20 le soir.» Vous pensez probablement en ce moment même, *il y a une attrape là-dessous!* Mais son programme lui a permis de vaincre les meilleurs coureurs, les plus rapides, et les plus talentueux du monde entier. Quand on fit remarquer à Toshihiko Seko que son programme semblait trop simple en comparaison de celui des autres marathoniens, il répliqua: «Oui, mon programme est simple mais je le mets en pratique tous les jours, 365 jours par année.» Simple? oui. Facile? non.

Je suis convaincu que la plupart des gens ne parviennent pas à atteindre leurs objectifs car ils ne sont pas disposés et ne s'engagent pas à suivre à la lettre leur programme, et non pas parce que ce dernier s'avère trop simple ou trop compliqué.

Plusieurs de nos objectifs ne requièrent pas un programme détaillé ou élaboré, mais tous ces objectifs exigent que nous nous conformions au programme que nous avons choisi. Le programme de Toshihiko Seko fut efficace car il s'y conforma chaque jour. Vous ne pouvez agir plus simplement que ça! Suivez l'exemple de Toshihiko Seko; assurez-vous que votre programme pour atteindre votre objectif soit simple, puis, suivez-le consciencieusement.

Message enregistré sur un répondeur d'un grand magasin: «Si vous appelez pour passer une commande, appuyez sur le 5. Si vous appelez pour porter plainte, appuyez sur 6-4-5-9-8-3-4-8-2-2-9-5-5-3-9-2. Nous vous souhaitons une bonne journée.»

Le succès passe par le partenariat

Bien des gens sont allés beaucoup plus loin qu'ils ne l'auraient cru car quelqu'un d'autre était convaincu qu'ils pouvaient le faire.

Il existe un cliché selon lequel derrière tout homme couronné de succès on retrouve une belle-mère remplie d'étonnement. Dans la plupart des cas, sinon tous, le succès découle directement des efforts d'une personne, du soutien et de l'encouragement d'une ou de plusieurs autres personnes.

Comme me disait un jour un ami, quand vous apercevez une tortue sur un poteau de clôture, vous pouvez être certain qu'elle n'a pas grimpé là d'elle-même. Quand vous voyez une personne gravir l'échelle du succès et atteindre le sommet, vous savez qu'elle ne s'est pas rendue jusque-là grâce à ses seuls efforts. Dans chaque cas ou presque, d'autres personnes lui ont prodigué à la fois de l'encouragement et de l'espoir.

Nathaniel Hawthorne en est un excellent exemple. Il était découragé et avait le cœur brisé le jour où il revint à la maison pour annoncer à son épouse, Sophia, qu'il n'était qu'un raté parce qu'il avait perdu son emploi au poste de douanes. Quand elle apprit la nouvelle, elle le surprit par son exclamation de joie exubérante. Elle dit de façon triomphale: «À présent, tu vas pouvoir écrire ton livre!» Nathaniel Hawthorne répondit à cela par une question: «Comment allons-nous faire pour vivre pendant que je vais écrire ce livre?»

À sa grande surprise et pour sa plus grande joie, elle ouvrit un tiroir et sortit une somme d'argent importante. «Où as-tu trouvé cet argent?» demanda-t-il. «J'ai toujours su que tu avais du génie», répondit-elle, «et je savais qu'un jour tu écrirais un chef-d'œuvre. Voilà pourquoi, chaque semaine, j'ai mis de côté une partie de l'argent que tu me remettais pour l'entretien de la maison. En voici suffisamment pour nous permettre de survivre pendant une année entière.»

De la loyauté de son épouse envers lui, de sa confiance, de sa prévoyance et de sa gestion prudente, est né un des classiques de la littérature américaine: *La Lettre écarlate (1850)*. Ce genre d'histoire pourrait se reproduire plusieurs milliers de fois, ou plutôt, plusieurs millions de fois. Cela arrive chaque jour.

Si votre propre histoire ressemble à la précédente, j'espère que vous aurez à cœur de reconnaître les mérites de ceux qui vous ont aidé.

«Le poids de tous les membres du Congrès totaliserait approximativement quarante-quatre mille kilos. Il est difficile de faire bouger quoi que ce soit d'aussi lourd.»
(Charlie «le magnifique» Jones)

Le modèle Edsel
connut un succès remarquable

> *Dieu ne s'attend pas à ce que nous soyons parfaits, mais que nous grandissions. Nous avons donc pour objectif l'excellence et non la perfection.*

Vous vous rappelez peut-être que le modèle Edsel, construit par le fabricant d'automobiles Ford, connut un échec monumental auprès du public qui achète des autos. Des dizaines de millions de dollars furent engloutis; ce véhicule fut la cible de nombreuses blagues et se retrouva bientôt dans le cimetière des automobiles qui n'ont pas obtenu le succès escompté.

La suite de l'histoire est cependant quelque peu différente. Ce n'est pas quand vous êtes battu que vous échouez, mais quand vous abandonnez. Comme vous le savez, l'entreprise Ford ne renonça pas. À vrai dire, le modèle Edsel fut à l'origine d'un incroyable succès. Une partie de la technologie déjà développée à cette époque et la recherche qui s'ensuivit permirent à l'entreprise de produire la Mustang qui, dès ce moment, allait devenir le véhicule le plus vendu et le plus rentable de tous les temps chez Ford. À partir des leçons qu'ils tirèrent de la Mustang, les ingénieurs purent construire la Taurus qui allait demeurer, pendant bien des années, l'automobile numéro un au chapitre des ventes en Amérique.

Voici la clé de toute cette histoire: quand nous commettons une erreur, et cela nous arrive à tous périodiquement, nous devrions absolument nous poser la question suivante: «Que me faut-il apprendre pour transformer cet échec temporaire en un succès retentissant?» Voilà le point de départ des grandes réalisations. Nous n'atteignons jamais vraiment notre plein potentiel tant et aussi longtemps que nous n'avons pas été mis à l'épreuve et éprouvés. Traditionnellement, l'équipe qui emprunte la route la plus difficile vers le Super Bowl, celle qui défie et triomphe des équipes les plus robustes, est aussi celle qui gagne le Super Bowl.

Le message est le suivant: quand vous faites face à l'adversité et que vous échouez lors d'une première tentative, considérez cela comme une expérience supplémentaire dans votre apprentissage. C'est ce que la société Ford a fait. Voilà pourquoi, dans une perspective globale, le modèle Edsel connut ultimement un tel succès. Adaptez votre pensée à cette vision des choses, et vous transformerez vos «Edsel» en réussites.

«Ce pays est devenu tellement urbanisé que nous en arrivons à croire que le lait à faible teneur en gras provient de vaches qui font des exercices d'aérobic.»
(H.A. O'Rourke)

Faire d'une tragédie un triomphe

«Un jour, nous serons tous jugés d'après l'échelle de valeurs de notre vie, et non d'après notre niveau de vie; d'après notre capacité de donner, et non pas d'après l'étendue de nos richesses; d'après notre bonté toute simple, et non pas d'après notre apparente grandeur.»
William Arthur Ward

Au cours des nombreuses générations d'avant notre siècle, la procédure normale pour former des artisans qualifiés consistait, pour le père, à enseigner son art à ses fils. Le savoir-faire nécessaire pour bien accomplir son métier était transmis d'une génération à une autre. Il y a plusieurs années,

169

un cordonnier enseignait les rudiments de son métier à son fils de neuf ans afin de le préparer à affronter la vie. Un jour, un poinçon tomba de la table du cordonnier et creva tragiquement un des yeux de son fils de neuf ans. Sans les connaissances et les compétences médicales d'aujourd'hui, le garçon finit par perdre non seulement l'œil déjà atteint mais l'autre aussi.

Son père le plaça alors dans une école spéciale pour les aveugles. À cette époque, on leur enseignait à lire en utilisant de larges lettres sculptées dans le bois. Ces lettres en bois étaient peu pratiques, difficiles à manipuler, et requéraient un temps considérable pour apprendre à lire. Toutefois, le fils du cordonnier ne se borna pas à apprendre seulement à lire. Il savait qu'il devait exister une meilleure façon, plus facile d'y parvenir. Au fil des ans, il inventa une nouvelle méthode de lecture à l'intention des non-voyants en poinçonnant des points dans du papier. Afin d'atteindre son but, le fils du cordonnier se servit du même poinçon qui l'avait rendu aveugle. Il s'appelait Louis Braille.

Le dicton tient toujours: L'important n'est pas ce qui vous arrive mais votre manière d'y faire face. J'aime bien ce que le président Reagan a dit au sujet de son premier mandat en tant que président: «Depuis mon arrivée à la Maison-Blanche, j'ai hérité de deux appareils auditifs, j'ai subi une opération du côlon et de la prostate, j'ai souffert d'un cancer de la peau et on m'a tiré dessus.» Après une pause, il ajouta: «Je ne me suis jamais senti aussi bien de ma vie.» Je crois que vous conviendrez avec moi qu'une telle attitude vous propulsera plus loin que de déplorer les incidents malheureux de toute votre vie. Faites-en l'essai. Suivez le conseil de Helen Keller qui disait: «Si les perspectives d'avenir ne sont pas bonnes, levez donc les yeux au ciel. Cela fait toujours du bien.»

_____

Un banlieusard dit à un autre: «À vrai dire, ma belle-mère et moi sommes d'accord sur une chose capitale. Nous aurions souhaité tous les deux que ma femme ait épousé quelqu'un d'autre.»
(H. Bosch)

Ce qui hier encore semblait impossible

Le meilleur moment pour accomplir quelque chose d'important, c'est entre hier et demain.

Je me souviens de la couverture médiatique qui entoura l'exploit d'Edmund Hillary lorsqu'il fut la première personne à escalader le mont Everest. Il devint instantanément une célébrité, malgré l'échec qu'il avait subi lors de sa première tentative et la perte de cinq de ses guides sur le versant de la montagne. L'Angleterre reconnut son effort formidable en lui décernant la plus haute décoration accordée à un étranger, soit le titre de chevalier. Il fit de nouveau les manchettes, plusieurs années plus tard, lorsque son fils parvint à son tour au sommet du mont Everest, et que le père et le fils tinrent une conversation téléphonique par radio.

De nos jours, selon le gouvernement népalais, des alpinistes parviennent souvent jusqu'à la cime du mont Everest. À vrai dire, on a rapporté une journée record au cours de laquelle 37 personnes ont atteint le sommet du mont Everest. Sept équipes arrivèrent en l'espace d'une demi-heure et provoquèrent ainsi un «embouteillage» d'alpinistes. Oui, ces choses qui semblaient impossibles hier deviennent souvent la norme de demain.

Le 6 septembre 1995, un des records mondiaux les plus difficiles à battre fut brisé. Je parle ici du tour de force de l'«homme de fer», Lou Gehrig, qui a participé à 2130 matchs

171

de base-ball consécutifs. On croyait l'exploit de Lou Gehrig impossible à battre, mais Cal Ripken vint briser ce record et il est en train de le rendre encore plus difficile à atteindre. Un autre record que l'on croyait imbattable fut le nombre de coups sûrs cognés par Ty Cobb, mais Pete Rose le pulvérisa il y a plusieurs années. Aujourd'hui, des jeunes filles de 12 ans nagent plus rapidement que Johnny Weissmuller quand il remporta la médaille d'or olympique.

Nous sommes pour la plupart enthousiasmés à la lecture d'exploits surhumains, mais il est encore bien plus important de battre nos meilleurs records personnels au point de vue de nos réalisations. Le fait d'obtenir des notes supérieures, de fournir un meilleur rendement au travail, d'essayer d'établir un record de «gentillesse», et toute une panoplie de résultats supérieurs feront de vous une meilleure personne dans le jeu le plus important de tous: celui de la vie.

Arbitre au football, Jim Tunney nous dit ceci: «Ma définition d'un supporteur est ce gars qui vous crie des insultes à partir de la soixantième rangée des gradins parce qu'il pense que vous n'avez pas appliqué une pénalité pour une infraction commise au centre de la ligne intérieure, et qui, après le match, n'arrive même plus à trouver son automobile dans le parc de stationnement.»

Comment avaler un éléphant
par morceaux

> *Quand vous faites face à des défis, au lieu d'énoncer vos pensées ou de commencer vos phrases par «Le problème est le suivant» dites à la place «L'occasion de changer est celle-ci» ou «L'occasion de m'améliorer est celle-là» ou bien «L'occasion de grandir est la suivante».*

L'affirmation circulant depuis bien des années selon laquelle on peut avaler un éléphant en entier, un morceau à la fois, n'a jamais été aussi vraie. Il est également véridique que vous pouvez faire du bien à toute l'humanité et transformer la vie d'innombrables personnes un tout petit peu à la fois.

Une des histoires les plus réconfortantes que j'ai eu l'occasion d'entendre depuis des années est celle d'Oseola McCarty de la ville de Hattiesburg, au Mississippi. Âgée de 88 ans, elle a passé toute sa vie à laver, repasser et raccommoder des vêtements. Ces mêmes vêtements furent portés lors de fêtes auxquelles elle n'a jamais participé, de mariages où elle ne fut jamais invitée, de cérémonies de remise des diplômes auxquelles elle n'a pas eu le privilège d'assister. Ses besoins dans la vie se réduisaient au strict minimum. Cela ne la dérangeait pas de vivre dans une petite maison et d'économiser de toutes les manières possibles, même en découpant des ouvertures dans ses chaussures pour laisser dépasser les orteils quand la pointure était trop petite.

Au fil des décennies, elle toucha un maigre salaire composé pour une large part de dollars et de pièces de monnaie, mais elle économisa constamment pendant des années, et elle fit récemment un don de 150 000 $ afin de financer les bourses d'études de certains étudiants afro-améri-

173

cains à l'université Southern Mississippi. Sa donation eut des répercussions incroyables. On la dépeignit comme étant la personne la plus généreuse qui soit. Les leaders du milieu des affaires de la ville d'Hattiesburg amassèrent l'équivalent des 150 000 $ de madame McCarty, et ces 300 000 dollars servent actuellement pour des bourses d'études.

Madame McCarty est encore abasourdie par toute l'attention qu'elle reçoit des médias et par le nombre de personnes qui viennent la voir. Elle ne formule qu'une seule requête et n'entretient qu'un seul espoir: celui d'avoir le privilège d'assister à la cérémonie de remise des diplômes d'au moins un des étudiants ayant complété des études universitaires grâce à sa générosité. Elle aurait personnellement souhaité avoir eu la chance de poursuivre des études universitaires, mais elle affirme avoir toujours été trop occupée par le passé. Elle souhaite dorénavant que ses «occupations antérieures» permettront à d'autres personnes d'obtenir cette instruction qu'elle-même n'a jamais eue.

La réalité est la suivante: Ce n'est pas tant ce que vous avez qui compte mais votre façon de bien utiliser ce que vous avez. Je vous encourage à suivre l'exemple d'Oseola McCarty et à aider d'autres personnes à atteindre la réussite. Vous ressentirez souvent peut-être même plus de joie qu'elles devant leurs succès.

Un psychiatre fit paraître dans le journal local la publicité suivante:
«Satisfaction garantie ou je vous rends votre manie.»
(John W.Perritt)

Il faut du courage

Vous surmonterez la pensée négative par la pensée positive, ce qui est préférable au fait de répéter sans cesse: «Je crois que je peux, je crois que je peux.» Cela signifie explorer les pourquoi et chercher des ressources. C'est savoir que vous avez raison. C'est aussi passer de la marche arrière en cinquième vitesse, en ce qui a trait aux revers de la vie, afin d'en faire quelque chose de positif.

Janet Carroll a du courage en abondance, et elle change beaucoup de choses quand elle encourage des gens partout en Amérique, attirant notre attention sur ces héros méconnus qui nous entourent mais que nous ne remarquons pas habituellement, et qui sont vêtus de mille tenues différentes. Janet Carroll est aussi une femme audacieuse, engagée, pleine d'imagination, et prête à déployer tous les efforts requis.

Elle eut l'idée d'intéresser le public à quelques événements passionnants qui se déroulent dans notre pays. Elle prit la décision de se concentrer sur certains êtres tranquilles, qui fuient les projecteurs tout en faisant de l'Amérique un meilleur endroit où vivre. Elle quitta son emploi, emprunta 27 000 $ sur ses cartes de crédit, et devint scénariste productrice, directrice, responsable des ventes, entrepreneure, organisatrice, créatrice, et conceptrice de l'émission de télévision intitulée *Ces héros méconnus*. Cette émission fut diffusée pour la première fois le 23 décembre 1991 et passa pendant 3 ans aux heures de grande écoute, 6 ou 7 fois par année.

En jetant un coup d'œil rétrospectif sur tout cela, Janet Carroll affirme qu'elle n'aurait probablement jamais lancé cette émission si elle avait su naguère ce qu'elle sait aujourd'hui. Considérez les risques qu'elle a pris: Elle n'avait pas d'argent, elle était mère célibataire et ne possédait aucune expérience dans la production d'une émission de télévision. Elle a dû affronter des professionnels ayant de l'argent et qui disposaient de budgets illimités tout en utilisant la technologie la plus récente pour produire leurs émissions.

L'émission a eu des répercussions considérables sur Janet et sur bien d'autres personnes, incluant un caméraman qui déclara qu'il se sentait très «important» quand il se tenait derrière la caméra à filmer des gens influents. Il ajouta: «Mais je reconnais pleinement que ces héros méconnus sont vraiment des héros, et je me sens privilégié de les filmer.» Oui, Janet Carroll a su et sait encore changer et faire avancer les choses. Vous le pouvez vous aussi; faites-le donc de manière positive.

« Je voulais m'inscrire à un séminaire de motivation mais mon épouse m'a dit que je n'en avais nullement besoin. »
(Frank Hughes)

Si vous n'avez pas pris la bonne décision, prenez-en une autre

Si vous avez un rêve, secouez-vous et réalisez-le.

*C*arol Farmer était malheureuse dans son rôle d'institutrice, et après avoir enseigné pendant deux semestres seulement, elle se rendit compte que le monde de l'éducation ne lui convenait pas. Même si elle avait investi beaucoup de temps et des efforts considérables dans le but de devenir enseignante, elle prit conscience que ce n'était pas là sa vocation.

Mais que pouvait-elle faire d'autre? Son rêve avait toujours été d'être un jour une styliste; elle se fixa donc comme but d'en devenir une. Une partie de son objectif consistait à faire plus d'argent la première année comme styliste que ce qu'elle avait gagné comme enseignante. Elle avait touché 5 000 $ comme professeure pour sa première année d'enseignement. Elle gagna 5 012 $ au cours de sa première année comme styliste, réalisant ainsi son premier objectif.

Elle accepta de passer un contrat avec une de ses clientes pour un montant annuel de 22 000 $, soit 4 fois plus que ce qu'elle gagnait 2 ans auparavant. Peu de temps après, on lui offrit d'augmenter ce montant jusqu'à 35 000 $, mais au cours de cet intervalle de temps, ses rêves avaient pris de l'ampleur: elle refusa donc cette offre pour lancer sa propre entreprise. Elle fit plus de 100 000 $ la première année, soit 20 fois plus que ce qu'elle avait gagné moins de 10 ans auparavant, et 5 fois plus que l'année précédente.

Carol Farmer créa en 1976 l'entreprise Doody et obtint au cours des 3 années suivantes un chiffre d'affaires de 15 millions de dollars. Son personnel passa de 6 à 200 employés. Ses nombreuses réalisations lui valurent une grande considération et elle partagea sa réussite en affaires avec des boursiers de l'université Harvard.

Les gens considèrent trop souvent les obstacles comme des barrières au lieu d'y voir des occasions d'agir. Carol avait pris un risque calculé tout comme la plupart des gens couronnés de succès (cela exige du courage pour poser le premier geste, un réel sens de l'engagement pour poursuivre, et de la persévérance pour atteindre son objectif).

Prendre un risque calculé demande du mérite, et ce n'est pas un simple jeu. Les personnes qui réussissent n'avancent pas à l'aveuglette. Elles soupèsent à la fois les risques et leurs chances comme le fit Carol Farmer. En agissant ainsi, Carol transforma la déception et le chagrin qu'elle éprouvait dans sa

177

carrière d'enseignante en du bonheur, de la créativité, et des avantages monétaires dans une carrière entièrement diffé-rente. Je vous encourage à imiter Carol Farmer et à affronter les obstacles et les déceptions avec un esprit inventif.

« L'argent n'achète pas le bonheur, mais il peut servir à payer les salaires d'un grand nombre de chercheurs afin qu'ils se penchent sur la question. »
(Bill Vaughn)

Ce n'est pas ce que vous n'avez pas qui importe

Les circonstances peuvent nous construire ou nous briser. À nous de choisir.

Vous avez entendu dire ce qui suit bien des fois: «La vie, c'est ce que tu en fais.» Ou bien nous pourrions l'énoncer d'une manière quelque peu différente, comme mon ami Ty Boyd le fait, en disant: «Vous ne pouvez pas changer les cartes que la vie vous a distribuées, mais vous pouvez décider comment les jouer.» Wendy Stœker a choisi de vivre selon cette philosophie. Alors qu'elle était étudiante de première année à l'université de Floride, elle obtint le troisième rang chez les femmes lors du championnat de plongeon de l'État. Elle s'entraînait à cette époque avec l'équipe hautement compétitive de la Floride, dans laquelle elle s'était classée deuxième, tout en poursuivant des études à plein temps.

Wendy Stœker doit assurément vous sembler une étudiante accomplie, heureuse, positive, bien équilibrée, capable de faire de sa vie tout ce qu'elle veut, n'est-ce pas ce que vous pensez? Eh bien, vous avez raison si vous croyez qu'elle projetait cette image auparavant et qu'elle la projette encore aujourd'hui. À vrai dire, elle a déjà modelé sa vie comme elle l'entend même si elle est née sans bras.

Bien entendu, Wendy aime beaucoup jouer aux quilles, faire du ski aquatique, et elle peut taper plus de 45 mots à la minute même sans bras. Wendy ne s'appesantit pas sur ce qui lui manque, au lieu de cela elle apprécie ce qu'elle possède. En réalité, si nous utilisions tous ce que nous avons sans nous préoccuper de ce que nous n'avons pas, nous serions en mesure d'accomplir infiniment plus de choses dans nos vies.

Le message est le suivant: Suivez l'exemple de Wendy Stœker. Pensez de façon positive à ce que vous voulez dans la vie. Décidez-vous à utiliser les atouts que vous avez entre les mains, quels que soient les obstacles que vous devrez peut-être affronter. Si vous faites cela, vous rendrez votre vie plus palpitante, plus gratifiante, et plus féconde.

Bien des gens brûlent d'envie d'obtenir ce qu'ils désirent, mais ils ne remueront aucunement ciel et terre pour y parvenir.

Apprenez à dire oui

Ce n'est pas un déshonneur de ne pas avoir de diplôme universitaire, mais c'en est un de ne pas être instruit.

Nous vivons vraiment dans un monde extrêmement pressé, et, en ces jours où les deux parents travaillent, il semble que nous n'ayons jamais suffisamment de temps pour accomplir à la fois ce que nous souhaiterions et ce qu'il nous faut absolument faire. Une des choses que nous voudrions et devrions faire, ce serait de passer plus de temps en compagnie de nos enfants. Malheureusement, les contraintes de temps font en sorte qu'il nous est plus facile de répondre automatiquement par un non quand nos enfants nous formulent de petites demandes. Nous pourrions peut-être envisager une autre solution.

Dans un article publié dans la revue *Better Families*, Kay Kuzma nous propose certaines démarches pratiques à utiliser. Elle laisse entendre que nous pouvons dire oui à maintes occasions, et que cette attitude est plus efficace car elle enseigne aussi à nos enfants de précieuses leçons. Par exemple, un enfant peut demander: «Vais-je pouvoir regarder mon émission de télé préférée ce soir?» Les parents ont alors la possibilité de répondre: «Oui, aussitôt que tu auras fini d'essuyer et de ranger la vaisselle», ou bien: «Oui, dès que tu auras téléphoné à Sally pour t'excuser de ton comportement de cet après-midi.»

Si vous adoptez cette attitude, l'adolescent ne vous considérera plus comme une personne voulant le priver d'un plaisir, mais comme un parent intéressé à l'aider à adopter un meilleur comportement et à acquérir plus de maturité. Le lendemain matin, il se peut que le même adolescent vous demande d'utiliser l'auto pour aller faire quelques courses et un tour au parc. Vous pourriez lui dire alors: «Oui, aussitôt que tu l'auras lavée et à la condition que tu t'arrêtes au garage sur le chemin du retour pour y faire le plein d'essence.» Vous inculquez ainsi à votre enfant le sens des responsabilités. Vous répondez favorablement à une requête raisonnable tout en lui manifestant un sentiment de confiance.

Docteure Kuzma fait également remarquer que si votre enfant vous demande: «Puis-je avoir du dessert?» Vous pouvez lui répondre: «Oui, aussitôt que tu auras fini de manger ta salade et tes légumes.» En agissant ainsi, vous liez ensemble l'idée d'une petite récompense et celle d'une responsabilité assumée. En fin de compte, l'enfant en retire un plaisir temporaire et certains avantages à long terme. Mettez en pratique ces suggestions du docteure Kuzma et vous aurez fait un pas de géant dans l'éducation d'un enfant à la fois positif, poli et responsable.

Tout mariage éprouve des difficultés quand un homme dévoile le pire côté de sa personnalité à sa tendre moitié.

Est-ce un problème ou une occasion à saisir?

Le second kilomètre se parcourt facilement car nous n'y rencontrons pas d'embouteillages.

Randy Males est professionnel de la vente dans le domaine du meuble. Dans les magasins de meubles, les vendeurs se relaient tour à tour auprès des derniers clients entrés dans le magasin. Un jour, un collègue vendeur dit à Randy en marmonnant à voix basse: «Je me sens incapable de vendre à de telles personnes!» Randy lui demanda quel était le problème, et l'autre vendeur lui répondit que l'homme était sourd et aveugle, et que la femme voyait et entendait à peine. Il affirma énergiquement qu'il n'allait pas perdre son temps à essayer de leur vendre quoi que ce soit, et qu'il ne permettrait pas que ces gens-là soient comptés au nombre des clients qui lui sont attribués selon la règle d'alternance établie entre les vendeurs. Randy lui demanda s'il pouvait aller parler au couple en question. Il eut pour toute réponse: «Oui, si tu as du temps à perdre.»

Randy s'approcha du couple en leur faisant face car la femme ne pouvait distinguer que les formes et les objets qui se trouvaient directement devant elle. Il leur adressa la parole et la femme lui fit signe qu'elle était sourde. Randy sortit un bloc-notes et écrivit en lettres majuscules: «Je reviens tout de suite.» Il revint quelques instants plus tard avec un grand bloc-notes et s'en servit pour «parler» au couple. Ces derniers quittèrent le magasin avec de nombreux achats, arborant de larges sourires. Le jour suivant, Randy reçut un appel du service de traduction pour les malentendants, le remerciant pour sa courtoisie. Randy était content mais il fit aussitôt remarquer qu'il n'était pas un saint pour autant. Il était un professionnel de la vente prêt à parcourir le kilomètre additionnel.

Depuis ce jour, plusieurs amis du couple sont venus acheter des meubles de Randy. Puisqu'il était disposé à parcourir le kilomètre supplémentaire, Randy transforma le problème d'un autre vendeur en une occasion à saisir.

Il me fait énormément plaisir d'avoir partagé cette histoire car son message a une réelle valeur et parce que Randy, un ancien terrassier, fut inspiré par mon frère décédé, le juge Ziglar. Le message est clair. Soyez aimable avec les gens. Rendez service à ceux qui en ont le plus besoin, et trouvez-y par la même occasion votre propre avantage.

N'est-il pas intéressant de constater que, quoi qu'il arrive, nous découvrons toujours un grand nombre de personnes sachant très bien que «ça devait se produire»?

CHEZ LE MÊME ÉDITEUR:

Ces titres sont offerts sous format de livres ou de cassettes audio

52 activités pour occuper vos enfants sans la télévision, *Phil Phillips*

52 cartes d'affirmations, *Catherine Ponder*

52 étapes pour atteindre le succès, *Napoleon Hill*

52 façons d'aider votre enfant à mieux réussir à l'école, *Jan Lynette Dargatz*

52 façons d'améliorer votre vie, *Todd Temple*

52 façons de développer son estime personnelle et sa confiance en soi, *Catherine E. Rollins*

52 façons d'élever des enfants sans se surmener, *Mary Manz Simon*

52 façons de faire des économies, *Kenny Luck*

52 façons de perdre du poids, *Carl Dreizler et Mary E. Ehemann*

52 façons de réduire le stress dans votre vie, *Connie Neal*

52 façons de rendre vos vacances en famille encore plus agréable, *Kate Redd*

52 façons d'organiser votre vie personnelle et familiale, *Kate Redd*

52 façons pour une mère active de gagner du temps, *Kate Redd*

52 façons simples d'aider votre enfant à s'aimer et à avoir confiance en lui, *Jan Lynette Dargatz*

52 façons simples de dire «Je t'aime» à votre enfant, *Jan Lynette Dargatz*

52 façons simples d'encourager les autres, *Catherine E. Rollins*

52 façons simples de s'amuser avec votre enfant, *Carl Dreizler*

52 rendez-vous amoureux, *Dave et Claudia Arp*

1001 maximes de motivation, *Sang H. Kim*

Accomplissez des miracles, *Napoleon Hill*

Agenda du Succès *(formats courant et de poche), éditions Un monde différent*

Aidez les gens à devenir meilleurs, *Alan Loy McGinnis*

À la conquête du succès, *Samuel A. Cypert*

À la recherche d'un équilibre: une stratégie antistress, *Lise Langevin Hogue*

Ange de l'espoir (L'), *Og Mandino*

Apprivoiser ses peurs, *Agathe Bernier*

Après la pluie, le beau temps!, *Robert H. Schuller*

Arrêtez d'avoir peur et croyez au succès!, *Jean-Guy Leboeuf*

Arrêtez la terre de tourner, je veux descendre!, *Murray Banks*

Ascension de l'empire Marriott (L'), *J.W. Marriott et Kathi Ann Brown*

Assurez-vous de gagner, *Denis Waitley*

Atteindre votre plein potentiel, *Norman Vincent Peale*

Attirez la prospérité, *Robert Griswold*

Attitude d'un gagnant, *Denis Waitley*

Attitude gagnante: la clef de votre réussite personnelle (Une), *John C. Maxwell*

Attitudes pour être heureux, *Robert H. Schuller*

Au cas où vous croiriez être normal, *Murray Banks*

Cadeau le plus merveilleux au monde (Le), *Og Mandino*

Comment attirer l'argent, *Joseph Murphy*

Comment contrôler votre temps et votre vie, *Alan Lakein*

Comment réussir l'empowerment dans votre organisation? *John P. Carlos, Alan Randolp et Ken Blanchard*

Comment se fixer des buts et les atteindre, *Jack E. Addington*

Comment vaincre un complexe d'infériorité, *Murray Banks*

Comment vivre avec soi-même, *Murray Banks*

Communiquer: Un art qui s'apprend, *Lise Langevin Hogue*

Découvrez le diamant brut, *Barry J. Farber*

De l'échec au succès, *Frank Bettger*

De la part d'un ami, *Anthony Robbins*

Dépassement total, *Zig Ziglar*

Développez habilement vos relations humaines, *Leslie T. Giblin*

Développez votre confiance et votre puissance avec les gens, *Leslie T. Giblin*

Développez votre leadership, *John C. Maxwell*

Devenez la personne que vous rêvez d'être, *Robert H. Schuller*

Devenez une personne d'influence, *John C. Maxwell et Jim Dornan*

Devenir maître motivateur, *Mark Victor Hansen et Joe Batten*

Dites oui à votre potentiel, *Skip Ross*

Elle et lui une union à protéger, *Willard F. Harley*

Enthousiasme fait la différence (L'), *Norman Vincent Peale*

Esprit qui anime les gagnants (L'), *Art Garner*

Être à l'écoute de son guide intérieur, *Lee Coit*

Eurêka!, *Colin Turner*

Éveillez votre pouvoir intérieur, *Rex Johnson et David Swindley*

Évoluer vers le bonheur intérieur permanent, *Nicole Pépin*

Faites la paix avec vous-même, *Ruth Fishel*

Fonceur (Le), *Peter B. Kyne*

Fortune à votre portée (La), *Russell H. Conwell*

Hectares de diamants (Des), *Russell H. Conwell*

Homme est le reflet de ses pensées (L'), *James Allen*

Homme le plus riche de Babylone (L'), *George S. Clason*

Il faut le croire pour le voir, *Wayne W. Dyer*

Je vous défie!, *William H. Danforth*

Légende des manuscrits en or (La), *Glenn Bland*

Livre d'or de l'optimiste (Le), *parrainé par Véronique Cloutier*

Livre d'or des relations humaines (Le), *parrainé par Pierre Lalonde*

Livre d'or du bonheur (Le), *parrainé par Diane et Paolo Noël*

Livre d'or du gagnant (Le), *parrainé par Manuel Hurtubise*

Pouvoir de la pensée positive (Le), *Eric Fellman*

Pouvoir de la persuasion (Le), *Napoleon Hill*

Pouvoir de l'optimisme (Le), *Alan Loy McGinnis*

Pouvoir de vendre (Le), *José Silva et Ed Bernd fils*

Pouvoir triomphant de l'amour (Le), *Catherine Ponder*

Prenez du temps pour vous-même, *Ruth Fishel*

Prenez rendez-vous avec vous-même, *Ruth Fishel*

Progresser à pas de géant, *Anthony Robbins*

Provoquez le leadership, *John C. Maxwell*

Psychocybernétique (La), *Maxwell Maltz*

Puissance de votre subconscient (La), *Joseph Murphy*

Puissance d'une vision (La), *Kevin McCarthy*

Quand on veut, on peut!, *Norman Vincent Peale*

Que faire en attendant le psy?, *Murray Banks*

Regard au-dessus des nuages, *Joanne Boivin et Carole Champagne*

Relations humaines, secret de la réussite (Les), *Elmer Wheeler*

Rendez-vous au sommet, *Zig Ziglar*

Retour du chiffonnier (Le), *Og Mandino*

Réussir grâce à la confiance en soi, *Beverly Nadler*

Roue de la sagesse (La), *Angelika Clubb*

Route de la vie (La), *Carolle Anne Dessureault*

S'aimer soi-même, *Robert H. Schuller*

Se connaître et mieux vivre, *Monique Lussier*

Secret de la vie plus facile (Le), *Brigitte Thériault*

Secret d'une prospérité illimitée (Le), *Catherine Ponder*

Secrets de la confiance en soi (Les), *Robert Anthony*

Secrets de la vente professionnelle, *Jean-Guy Leboeuf*

Secrets d'une vie magique, *Pat Williams*

Secrets pour conclure la vente (Les), *Zig Ziglar*

Se guérir soi-même, *Brigitte Thériault*

Semainier du Succès (Le), *éditions Un monde différent ltée*

Sept lois spirituelles du succès (Les), *Deepak Chopra*

S.O.S. à l'amour, *Willard F. Harley, fils*

Souriez à la vie, *Zig Ziglar*

Sport versus affaires, *Don Shula et Ken Blanchard*

Succès d'après la méthode de Glenn Bland (Le), *Glenn Bland*

Télépsychique (La), *Joseph Murphy*

Tiger Woods: La griffe d'un champion, *Earl Woods et Pete McDaniel*

Tout est possible, *Robert H. Schuller*

Un, *Richard Bach*

Vente: Étape par étape (La), *Frank Bettger*

Vente selon Ziglar (La), *Zig Ziglar*

Vente: Une excellente façon de s'enrichir (La), *Joe Gandolfo*

Vie est magnifique (La), *Charlie « T. » Jones*

Visez la victoire!, *Lanny Bassham*

Vivre au cœur de la tornade, *Diane Deslauriers et Esther Matte*

Votre droit absolu à la richesse, *Joseph Murphy*

Votre liberté financière grâce au marketing par réseaux, *André Blanchard*

Votre plus grand pouvoir, *J. Martin Kohe*

Vous êtes unique, ne devenez pas une copie!, *John L. Mason*

En vente chez votre libraire ou à la maison d'édition
Prix sujets à changement sans préavis

Si vous désirez obtenir le catalogue de nos parutions,
il vous suffit de nous écrire à l'adresse suivante:
Les éditions Un monde différent ltée
3925, Grande-Allée
Saint-Hubert (Québec), Canada J4T 2V8
ou de composer le (514) 656-2660 ou le téléco. (514) 445-9098

☐ Oui, faites-moi parvenir le catalogue de vos publications et les informations sur vos nouveautés

☐ Non, je ne désire pas recevoir votre catalogue mais seulement les informations sur vos nouveautés

OFFRE SPÉCIALE

OFFRE D'UN CATALOGUE GRATUIT

OFFRE SPÉCIALE

Nom: _____

Profession: _____

Compagnie: _____

Adresse: _____

Ville: _____ Province: _____

Code postal: _____

Téléphone: (____)_____ Télécopieur: (____)_____

DÉCOUPEZ ET POSTEZ À:

Pour le Canada: Les éditions Un monde différent ltée
3925, Grande-Allée, Saint-Hubert,
Québec, Canada   J4T 2V8
Tél.: (514) 656-2660
Téléc.: (514) 445-9098

Pour la France: Chapitre Communication
20, rue du Moulin
77700 Coupvray (France)
Tél.: (33) 1 64 63 58 06
Téléc.: (33) 1 60 42 20 02

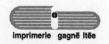

imprimerie gagné ltée

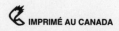

IMPRIMÉ AU CANADA